Leo

Predicciones

y

Rituales

2024

Angeline Rubi y Alina A. Rubi

Publicado Independientemente

¿Quién es Leo?...9

Personalidad de Leo..10

Horóscopo de Leo..12

    General...12

    Amor..14

    Economía...16

    Salud de Leo...17

    Familia..18

    Fechas Importantes..19

    Horóscopos Mensuales de Leo 2024.............................22

Enero 2024...22

Números de la suerte...23

Febrero 2024..24

Números de la suerte...24

Marzo 2024..25

Números de la suerte...25

Abril 2024..26

Mayo 2024...27

Números de la suerte...27

Junio 2024..28

Números de la suerte...28

Julio 2024...29

Números de la suerte...29

Agosto 2024..30

Números de la suerte...30

Septiembre 2024..31

Números de la suerte...31

Octubre 2024..32

Números de la suerte...32

Noviembre 2024..33

Números de la suerte...33

Diciembre 2024...34

Las Cartas del Tarot, un Mundo Enigmático y Psicológico. 35

  El Mundo, Carta del Tarot para Leo 2024 38

Runas del Año 2024 40

  Othila, Runa de Leo 2024 41

Colores de la Suerte 43

Color de la Suerte para Leo 45

  Leo 45

Amuletos para la Suerte 46

Amuleto para Leo 48

Cuarzos de la Suerte 49

Cuarzo de la Suerte para Leo 2024 52

Leo y la Vocación 53

Mejores Profesiones 53

Rituales para el Mes de Enero 54

Mejores rituales para el dinero 55

Ritual para la Suerte en los Juegos de Azar 55

Ganar Dinero con la Copa Lunar. Luna Llena 56

Mejores rituales para el Amor 57

Hechizo para Endulzar a la Persona Amada 58

Ritual para Atraer el Amor 59

Para Atraer un Amor Imposible 60

Mejores rituales para la Salud 62

Hechizo para proteger la Salud de nuestras Mascotas 62

Hechizo para mejorar Inmediatamente 63

Hechizo para Adelgazar 64

Rituales para el Mes de Febrero 65

Mejores rituales para el dinero 66

Ritual para Aumentar la Clientela. Luna Gibosa Creciente 66

Hechizo para ser Próspero 67

Mejores rituales para el Amor 68

Ritual para Consolidar el Amor 68

Ritual para Rescatar un Amor en Decadencia 70

Mejores rituales para la Salud 71

Ritual para la Salud 71

Ritual para la Salud en la Fase de Luna Creciente 72

Rituales para el Mes de Marzo 73

Mejores rituales para el dinero 74

Hechizo para tener Éxito en las Entrevistas de Trabajo. 74

Ritual para que el Dinero siempre esté Presente en tu Hogar. 75

Hechizo Gitano para la Prosperidad 75

Mejores rituales para el amor 76

Ritual para Alejar Problemas en la Relación 76

Hechizo contra la Depresión 78

Hechizo para Recuperación 79

Rituales para el Mes de Abril 80

Mejores rituales para el dinero 81

Hechizo Abre Caminos para la Abundancia. 81

Mejores rituales para el Amor 82

Amarre Marroquí para el Amor 82

Hechizo para Endulzar a la Persona Amada 83

Mejores rituales para la Salud 84

Hechizo Romano para la Buena Salud 84

Rituales para el Mes de Mayo 85

"Imán de Dinero" Luna Creciente 86

Hechizo para Limpiar la Negatividad en tu Casa o Negocio. 87

Mejores rituales para el Amor 88

Lazo Irrompible de Amor 88

Ritual para que solo te Ame a Ti 89

Té para Olvidar un Amor 90

Ritual con tus Uñas para el Amor 91

Mejores rituales para la Salud 91

Rituales para el Mes de Junio 94

Mejores rituales para el dinero 95

Hechizo Gitano para la Prosperidad 95

Fumigación Mágica para mejorar la Economía de tu Hogar. 95

Esencia Milagrosa para Atraer Trabajo. 96

Hechizo para Lavarnos las Manos y Atraer Dinero. 97

Mejores rituales para el Amor 97

Ritual para Prevenir Separaciones 98

Hechizo Erótico 99

Ritual con Huevos para Atraer 101

Hechizo Africano para el Amor 102

Mejores rituales para la Salud 103

Hechizo para Adelgazar 103

Hechizo para Mantener la Buena Salud 104

Baño de Protección antes de una Operación Quirúrgica 106

Rituales para el Mes de Julio 108

Mejores rituales para el dinero 109

Limpieza para Conseguir Clientes. 109

Atrae a la Abundancia Material. Luna en Cuarto Creciente 110

Hechizo para Crear un Escudo Económico para tu Negocio o trabajo. ..111

Mejores rituales para el Amor 112

Hechizo para Obtener Dinero Express. 112

Baño para Atraer Ganancias Económicas 113

Mejores rituales para la Salud 114

Hechizo para un Dolor Crónico. 114

Hechizo para mejorar Inmediatamente 115

Rituales para el Mes de Agosto 117

Mejores rituales para el dinero 118

Espejo mágico para el Dinero. Luna Llena 118

Mejores rituales para el Amor 120

Mejores rituales para el Amor 120

Hechizo para Hacer que Alguien Piense en Ti 121

Hechizo para Transformarte en Imán 122

Mejores rituales para la Salud 122

Baño Ritual con Hierbas Amargas 123

Rituales para el Mes de Septiembre 124

Mejores rituales para el dinero 125

Ritual para Obtener Dinero en Tres Días. 125

Dinero con un Elefante Blanco 126

Ritual para Ganar la Lotería. 127

Mejores rituales para el Amor 128

Ritual para Eliminar las Discusiones 128

Ritual para ser Correspondido en el Amor 129

Mejores rituales para la Salud 130

Baño Curativo 130

Baño de Protección antes de una Operación Quirúrgica 131

Rituales para el Mes de Octubre 133

Mejores rituales para el dinero 134

Hechizo con Azúcar y Agua de Mar para Prosperidad. 134

La Canela 135

Ritual para Atraer Dinero Instantáneamente. 135

Mejores rituales para el Amor 136

Hechizo Para Olvidar un Antiguo Amor 136

Hechizo para Atraer tu Alma Gemela 138

Ritual para atraer el Amor 139

Mejores rituales para el Salud 140

Ritual para Aumentar la Vitalidad 140

Rituales para el Mes de Noviembre 141

Mejores rituales para el dinero 142

Confecciona tu Piedra para Ganar Dinero 142

Mejores rituales para el Amor 143

Espejo Mágico del Amor 143

Hechizo para Aumentar la Pasión 144

Mejores rituales para la Salud 145

Ritual para Eliminar un dolor 145

Ritual para Relajarse 146

Ritual para Tener una Vejez Saludable 147

Hechizo para Curar Enfermos de Gravedad 148

Rituales para el Mes de Diciembre 150

Mejores rituales para el dinero 151

Ritual Hindú para Atraer Dinero. 151

Dinero y Abundancia para todos los Miembros de la Familia. 152

Mejores rituales por días para el Amor 153

Ritual para Convertir una Amistad en Amor 153

Hechizo Germánico de Amor 155

Hechizo de la Venganza 156

Mejores rituales para la Salud 157

Parrilla Cristalina para la Salud 157

La Luna en Leo 161

Ascendente en Leo 169

   Aries – Ascendente Leo 170

   Tauro – Ascendente Leo 170

   Géminis – Ascendente Leo 171

   Cáncer – Ascendente Leo 172

   Leo – Ascendente Leo 172

   Virgo – Ascendente Leo 173

   Libra – Ascendente Leo 174

   Escorpio – Ascendente Leo 174

   Sagitario – Ascendente Leo 175

   Capricornio – Ascendente Leo 176

   Acuario – Ascendente Leo 176

   Piscis – Ascendente Leo 177

Saturno en Piscis, uno de los eventos astrológicos más importantes. 178

¿Como afectará al Signo Leo? 186

Bibliografía 191

Acerca de los Autoras 192

¿Quién es Leo?

Fechas: 24 de julio – 23 de agosto

Día: Domingo

Color: Amarillo, dorado

Elemento: Fuego

Compatibilidad: Acuario, Sagitario, Aries,

Símbolo:

Modalidad Fijo

Polaridad: Masculina

Planeta regente: Sol

Casa 5

Metal: Oro.

Cuarzo: Rubí, diamantes, Onyx.

Constelación: Leo

Personalidad de Leo

Su personalidad resulta, simplemente exuberante. Regido por el Sol, posee una fuerza que motiva a moverse a los demás y siempre quiere brillar y dominar.

Esta cualidad, puede convertirse en un defecto porque puede ser bastante dominante. No conoce la venganza, es generoso en lo material y en lo personal, y es el mejor jefe para un grupo.

Este es un signo entusiasta, creativo y muchas veces comprensivo con las circunstancias de los demás; adoran los lujos y las aventuras; correr riesgos les motiva.

También se caracterizan por tener un elevado concepto de todo, especialmente, de sí mismos, por eso huyen de la vulgaridad.

Son organizados, suelen destacar en puestos de responsabilidad y tienen una gran habilidad para conseguir el equipo que les permita desarrollar sus objetivos. Los obstáculos no les impiden avanzar. Es más, con ellos se crecen.

Son leales y protectores. Son excelentes amigos, afectuosos y protectores. No fallan a sus seres queridos y eso hace que, de vez en cuando, se vean implicados en los problemas de otras personas.

Son malos perdedores: son bastante ambiciosos y desafiantes y también les gusta presumir. Si algo no les sale como esperan, reaccionan de forma destructiva.

Aprovechan cada segundo, aman la vida, adoran divertirse y disfrutan con todo tipo de espectáculos: música, cine, teatro, naturaleza. Si no pueden disfrutar de sus aficiones, les cambia el humor y se apagan.

Son enamoradizos, es un sentimiento que les encanta y es uno de los ingredientes fundamentales de esa salsa de la vida que buscan siempre. Con su pareja les gusta sentirse admirados y alabados.

Elegantes desde la cuna, ¿Te has fijado cómo caminan y cómo se mueven? En general los nativos de Leo tienen un físico llamativo, caminan de forma elegante, y suelen tener miradas arrebatadoras.

Orgullosos y altaneros, pueden pecar de una cierta tiranía y, por momentos, ser algo déspotas.

Horóscopo de Leo

General

2024 trae energías de segundas oportunidades para los Leo, así que considera lo que esto podría significar para ti.

Puede haber grandes cambios en tus relaciones, la forma en que las abordas y las manejas, las personas que atraes y lo que quieres y necesitas en tus relaciones personales.

Los Eclipses Lunares traen un enfoque intenso en lo que necesitas transformar para mejorar tus relaciones. Es posible que tengas que lidiar con algo de lo que has huido durante algún tiempo, y esto puede ser molesto, pero en última instancia te ayudará a avanzar.

Puedes sentirte más ambicioso y esforzarte por alcanzar el triunfo. Alcanzarás algún tipo de éxito que ha tardado años en producirse.

Te sentirás emocionado con el trabajo que estás haciendo, y si te falta pasión por él, este año puedes concentrarte en tratar de encontrar un nuevo trabajo.

Las Lunas nuevas te darán la oportunidad de buscar un nuevo trabajo, si eso es lo que deseas, y puedes comenzar nuevos proyectos y concentrarte en lo que te entusiasma hacer.

Es probable que necesites hacer algunos cambios importantes, pero debes ser inteligente al respecto. Si amas lo que haces, puedes hacer grandes avances y triunfar. Pueden surgir oportunidades que te ayudarán a invertir, y encontrarás formas creativas para sentirte más seguro en la manera que inviertes tu dinero.

Debes proteger tu salud, no intentes hacer todo a la vez. Trata los asuntos a medida que surjan.

Los momentos en los que te encontrarás cara a cara con desafíos fuertes son el comienzo del año y los meses del verano.

Amor

Plutón ha estado en tu área del amor durante más de una década, por lo que has estado más serio e intenso en el amor y lo tomas mucho más en serio. Lo que el amor es, y significa para ti, ha sufrido una transformación, pero ahora te sientes más alineado con lo que es verdad para ti. Ya sabes lo que realmente quieres y necesitas en una relación y si te comprometes estás dispuesto a dar.

Durante los periodos de Mercurio retrógrado los problemas existentes en tus relaciones amorosas se acrecentarán y esto puede hacer que te sientas frustrado e impaciente con los demás, pero necesitas trabajar en todos estos problemas y mejorar.

Este año puede ser un buen momento para reavivar las llamas de una relación existente o reconectarte con un viejo amor, especialmente con las Lunas nuevas que te pueden brindar oportunidades para hacerlo. De todos modos, debes tratar de nutrir tus conexiones con los demás y darles apoyo.

Saturno y Neptuno estarán en tu sector de intimidad todo el año, y por esa razón tener una conexión espiritual es importante para ti con aquellos con los que estás más cerca. Estarás más firme y realista al tratar con tus vínculos emocionales con los demás.

Puedes concentrarte en viejos problemas y traumas que se ha interpuesto en el camino de estos lazos de manera saludable, y aprender lecciones sobre el pasado que te ayuden a crear mejores vínculos en el futuro.

Para algunos Leo, el amor podría conducir al matrimonio. Si eres un Leo soltero, prepárate para encontrar tu verdadero amor. Pero ten cuidado, no debes confiar en todos porque algunas personas que podrían tratar de aprovecharse de tu bondad.

Los Leo casados verán felicidad y crecimiento en sus familias. Para mantener a tu pareja feliz enfócate en su bienestar. Este año, escribirás recuerdos increíbles con tu pareja. Tu amor crecerá más fuerte, alcanzando nuevas horizontes.

Los malentendidos pueden surgir de vez en cuando, por eso durante los tiempos difíciles, es importante que seas paciente. Recuerda respetar las decisiones de tu pareja y no forzar tus opiniones. Con paciencia, mantendrás tu relación fuerte y feliz.

Algunos Leo podrían reconectarse con un amor del pasado, así que mantengan su corazón abierto. Podrán aclarar viejos malentendidos y disfrutar del amor.

Apreciarás cada momento, y tus relaciones familiares se fortalecerán con amor, y comprensión.

Economía

Urano se une a Júpiter hasta el 25 de mayo en tu área del dinero. Este combo es fabuloso para hacer progresos repentinos y experimentar el éxito de manera rápida, inesperada y poco convencional. Puedes abordar tus objetivos y planes a largo plazo de una nueva forma, y esto te abrirá más puertas.

El 2024 será una mezcla de ganancias y pérdidas. Tu arduo trabajo te aportará dinero, pero la familia y otros problemas te van a causar inestabilidad financiera. Trata de ahorrar dinero para cuando se presenten situaciones difíciles. Gastar sabiamente puede ahorrarte algunos dolores de cabeza.

La primera mitad del año tendrás una mezcla de tiempos buenos y desafiantes ya que tus gastos aumentarán, pero también ganarás más dinero. Si no controlas tus gastos, podrías enfrentar problemas financieros.

De todos modos, gracias a Júpiter, si te lo propones, podrás ahorrar dinero ya que te llegarán recursos de diferentes fuentes y podrás comprarte una casa, si eso es algo que has venido deseando.

Sino tienes seguro médico los costos de atención médica pueden dañar tu economía. Por eso debes vigilar tus gastos y ser inteligente con tu dinero. Recuerda tomar decisiones financieras sabias.

Salud de Leo

Este año tendrás una salud fantástica. Te sentirás enérgico, feliz y fuerte, tanto en cuerpo como en mente y alma. Ser mentalmente fuerte es importante, y por suerte comenzarás el año con una mentalidad bien fuerte. Sentirte saludable te ayudará a tener éxito en tu trabajo.

Estarás saludable y libre de enfermedades. Si tiene algún problema de salud crónico, este podría ser el año para superarlo. Para mantenerte sano, intenta agregar la meditación y ejercicios a tu rutina diaria. No olvides que mantener tu mente tranquila y libre de estrés es clave para mantenerse saludable.

El descanso es importante para una buena salud, debes beber mucha agua y exponerte a la luz solar para obtener vitamina D.

Los Leo adultos podrían tener dolores en las rodilla o en las articulaciones, específicamente durante la temporada de invierno.

Cambia tus hábitos alimenticios para una mejor salud. Se cuidadoso con los accidentes y lesiones, especialmente al conducir o practicar deportes.

Familia

Estarás enfocado en los asuntos de tu hogar y la familia. Trabajarás para terminar proyectos en tu casa, y esto te ayudará a sentirte más cómodo, estable y seguro emocionalmente.

Durante los periodos de Luna llena los problemas familiares pueden salir a flote, es importante abordarlos y resolverlos.

El entorno familiar será muy tranquilo y armonioso de forma general durante el año. Cualquier problema que surja se resolverá de forma amistosa. Pueden existir problemas de salud con los miembros adultos de la familia que requieran atención médica.

Las obligaciones profesionales quizás te alejen de los miembros de tu familia, pero habrá celebraciones y adición de nuevos miembros a la familia.

Pueden suceder rupturas ocasionales con tu pareja debido a desavenencias familiares. Se muy cuidadoso al tratar con tus hermanos, ya que pueden tener problemas legales debido a herencias o legados. No actúes apresuradamente.

Quizás logres establecer en una relación estable si eres soltero, en general existen numerosas oportunidades de mejorar tus relaciones amorosas.

Fechas Importantes

25 de marzo - *Eclipse Lunar en Leo (Luna Llena)*

Este Eclipse le pondrá fin a las actitudes que te hacen daño. Debes tratar de ponerle límites a las personas que se han atravesado en tu vida. Existe la posibilidad de que termines una relación tóxica, y será para tu bien.

2 de julio - *Mercurio entra en Leo.*

11 de julio - *Venus entra en Leo. Este tránsito impactará en tus relaciones sentimentales y en la forma en que te relacionas con los demás. También puedes volverte ms dramático y exigente en las relaciones, por lo que debes tener mucho cuidado.*

22 de julio- *El Sol entra en Leo. Feliz Retorno del Sol.*

08/04/2024 Luna Nueva en Leo. *Durante este período estarás entusiasmado, emocionado y listo para la acción. Las oportunidades pueden venir en tu camino. Debes tomar iniciativas e ir por lo que quieres, y hacer que las cosas sucedan. Esta Luna nueva llega unos días antes de que Mercurio retrógrado en tu* *signo, por lo que puede estar más enfocada en una segunda oportunidad.*

8/14/2024 al 8/28/2024 Mercurio retrógrado en Leo *(después de comenzar en Virgo). Esto puede provocar muchos malentendidos, falta de concentración, y puedes sentir que pequeñas cosas siguen apareciendo y exigiendo su atención. Puedes estar disperso, ansioso y estresado. Trata de tener algunas estrategias saludables para manejar el estrés antes de que comience el retrógrado para que puedas manejarlo bien y sea fácil.*

04 de noviembre- *Marte entra en Leo. Marte en tu signo es tradicionalmente un momento de gran energía y entusiasmo por nuevos comienzos y negocios. Estarás entusiasmado con las oportunidades que tienes. Aprovecha esto temprano porque Marte va a estar retrógrado a partir del 6 de diciembre en tu signo, y termina el año retrógrado en Leo. Esto puede amplificar tus frustraciones, y molestias, algo que te puede irritar fácilmente y hacerte explotar. Puedes tener pequeños accidentes como resultado.*

18 de noviembre de 19- *Lluvia de meteoritos Leónidas en Leo. Las lluvias de meteoros representan momentos* *de transición. Es una oportunidad excelente para mostrarte al mundo cómo quieres ser visto. Podrías planificar un viaje o retomar amistades del pasado. Esta lluvia de estrellas representa un momento de fe y confianza.*

Horóscopos Mensuales de Leo 2024

Enero 2024

Leo, este mes puedes encontrar el amor mientras todavía estas de vacaciones. Si este no fuera el caso, quizás conozcas a tu media naranja en la escuela o el trabajo.

Tu carisma te hará vivir encuentros envidiables y el erotismo se apoderará de tu vida. Desgraciadamente, cuando todo parezca estar bien el fantasma de los celos se aproximará silenciosamente y te afligirá con los temores más irreales.

Los Leo más ecuánimes desecharán sus dudas. No habrá ninguna novedad en el trabajo, todo seguirá su ritmo y no habrá cambios específicos.

Después del 23 debes ser muy paciente y tener cuidado en la forma que te comunicas, es importante que no hagas promesas que no puedes cumplir. Trata de expresar tus emociones correctamente, aunque no estes satisfecho.

En el trabajo tendrás un excelente rendimiento y productividad, sin embargo, es aconsejable que te concentres en completar las tareas pendientes,

El éxito estará presente en tu vida, pero no debes sobrestimar su impacto e involucrarte en cualquier inversión o compra grande. Si eso pasara corres el riesgo de perder liquidez económica.

Leo debe confiar en su intuición a la hora de buscar fuentes de ingresos.

Enero es un buen momento para concebir un hijo.

Números de la suerte
6 - 10 - 12 - 14 - 31

Febrero 2024

En este mes del amor estarás entusiasmado y querrás hacer más de una cosa a la vez. No hagas ninguna decisión sin pensar, si actúas por impulso todo te saldrá mal. Te verás envuelto en situaciones turbulentas.

Los que tienen pareja vivirán días satisfactorios en el área sexual. El erotismo caracterizará cada encuentro para los solteros, por lo que es conveniente evitar situaciones ambivalentes.

Se cuidadoso con tu familia cuando viajes sobre todo cuando este lloviendo porque existen peligro de accidentes.

Algunas averías le pueden suceder a los equipos electrodomésticos en tu hogar.

Mucho cuidado al comunicarte. Debes utilizar el tono correcto hasta en los mensajes de texto y correos electrónicos. pero si es la única vía disponible para usted, úsela a su favor. Debes tratar mantener el buen humor en tus comunicaciones como sea posible.

Números de la suerte
2 - 24 - 28 - 29 - 31

Marzo 2024

Experimentarás emociones lineales este mes, te sentirás con confusión en la cabeza, nerviosismo en el corazón y con sentimientos exagerado.

Necesitarás mucha prudencia en el amor, y paciencia con tus colegas de trabajo para poder sobrepasar este periodo tan difícil de afrontar.

Si tienes muchos proyectos e ideas en marcha, debes recordar que todo se concreta con el tiempo. En vez de apurarte lo que debes hacer es aprovechar la oportunidad para perfeccionar tus proyectos.

En el área de las finanzas no serás inmune a los gastos innecesarios que sabotearan tu presupuesto. Trata de ser prudente.

A pesar de las controversias con tus colegas y superiores, lograrás tus objetivos y conseguirás importantes mejoras materiales. Los que trabajen independientes tendrán un apoyo del destino para tener éxito en todo lo que comiencen y así podrán aumentar su poder adquisitivo.

Al final del mes deja que la vida te sorprenda y disfruta de los placeres que ella te ofrece, recuerda que no solo el trabajo es importante, debes divertirte y pasar tiempo con tus amistades.

Números de la suerte
3 - 6 - 11 - 19 - 21

Abril 2024

Este mes el amor estará muy bien, si estás empezando a conocer a alguien probablemente se sentirán muy conectados, solo debes ser paciente.

La familia pasará a un segundo plano este mes, pero no te sentirás culpable como otras veces.

No dejes de conocer a esa persona que aparecerá repentinamente en tu vida, aunque sientas temor es importante que no confundas esa sensación de incertidumbre con miedo. Lo que tienes son dudas, relacionadas con experiencias malas que tuviste en el pasado. Debes darle una oportunidad al amor.

Vigila con cuidado tu salud. El ritmo apresurado de la vida puede obligarte a ignorar ciertas enfermedades recurrentes, lo que puede llevarte a consecuencias desafortunadas. Debes tener un equilibrio racional entre el trabajo y descanso. Debes tener un pasatiempo, comprar cosas deseadas desde hace mucho tiempo, reunirte con amigos o pasar tiempo con tu familia.

Al final del mes tendrás que hacer decisiones importantes sobre tu futuro laboral. Sino tienes trabajo deberás analizar algunas opciones que no se ven favorables en este periodo.

Números de la suerte

9 - 10 - 16 - 20 - 31

Mayo 2024

Una persona que conoces mucho está teniendo sentimientos con respecto a ti. Ese cambio de actitud es el síntoma de que tú le interesas.

Hay muchas cosas sucediendo en tu hogar, que quizás no las sepas.

Puede ser que un viaje de negocios te espere a final de mes.

No debes invertir en propiedades o comprar autos, este tipo de compras te pueden causar problemas. Implicará más gastos de los que esperabas al principio.

Los Leo solteros buscarán pareja, recuerda que una primera impresión y temas interesantes de conversación son importantes. Es mejor que actúen sin prisa para que eviten arruinar una relación satisfactoria.

Trabajas con muchas personas, y a veces algunas son insoportables. No permitas que esto te afecte, comienza a aceptar los errores de otros, así como ellos aceptan los tuyos. Tendrás un enfrentamiento con alguien de tu trabajo, no permitas que se rompa la relación.

Números de la suerte
7 - 8 - 16 - 22 - 31

Junio 2024

Este mes no dejes que los errores del pasado te impidan volver a amar, debes dar ese gran paso con esa persona que estas conociendo. No permitas que otras personas se involucren en tu relación de pareja.

Comenzarás este mes luchando con tu mal humor, y te sentirás muy presionado y confundido. En lugar de estar dando vueltas debes tomarte un descanso. Utiliza ese tiempo para pensar en lo que quieres hacer. En el área financiera tendrás algunos altibajos que serán difíciles de manejar a menos que seas organizado con tus gastos.

Necesitas hacer cambios en la forma que estás realizando tu trabajo, te cuesta mucho esfuerzo hacer ciertas cosas, sobre todo si se trata de tecnología.

De todo modos al final del mes tendrás mucho entusiasmo y sobresaldrás en todo lo que hagas. Esto puede causar que envidien tu éxito.

Este mes tendrás problemas relacionados con el sistema digestivo, así que concéntrate en una dieta sana y equilibrada, trata de descansar mucho. Trata de encontrar paz y tu propia armonía.

Números de la suerte
5 - 9 - 13 - 20 - 26

Julio 2024

Este no es un buen mes para que comiencen romances, y los que tienen relaciones establecidas la situación será crítica. Debes tomar decisiones inteligentes en el amor, si lleva tiempo saliendo con alguien y esa persona tiene todo lo que necesitas para ser feliz, no tengas miedo a establecer un compromiso serio.

Debes revisar tu dieta. Camina al aire libre y has ejercicios con frecuencia. Debes perder el miedo a terminar las relaciones tóxicas ya que tienes que tomar el control de tu vida. Es el momento para comenzar a abandonar los malos hábitos.

Las restricciones que estas poniendo a tu vida y a la de tus familiares, debes dejarlas. No tienes por qué influir en la vida ajena todo el tiempo. Si alguien está haciendo algo que no es correcto aconséjalo, pero no decidas por esa persona.

Antes de tomar decisiones sobre inversiones importantes debe hablar con tus seres queridos. Tu familia te ayudará a lograr el éxito. Escucha sus ideas. Una planificación económica adecuada combinada con un gasto racional te dará como resultado la estabilidad financiera que necesitas.

Números de la suerte
18 - 20 - 25 - 28 - 32

Agosto 2024

Durante este mes recuerda que no debes cargar con los culpas de otras personas, aunque se trate de tu pareja o padres. Cada cual debe ser responsable de su crecimiento.

Debes tener claro lo que quieres si vas a acercarte a esa persona que te atrae porque esta persona se trata de alguien que no acepta juegos, y desea formar una pareja para toda la vida. Probablemente sea tu alma gemela.

No puedes generar más dinero si no inviertes. Has estado muy cómodo en tu zona de confort, pero tienes dar un salto de fe.

A final del mes ciertos obstáculos sabotearán tus planes con retrasos y falta de comunicación. Existe la posibilidad de viajar al extranjero, tanto por diversión, como por negocios. Recuerda no dejar pasar la oportunidad de renovarte en tu área profesional, no pretendas tener éxito con los mismos conocimientos que adquiriste en tu etapa de estudios, es bueno seguir aprendiendo. Debes ingresar en cursos de perfeccionamiento, conocer nuevas tecnologías y aprender a usarlas.

Números de la suerte
9 - 13 - 21 - 22 - 27

Septiembre 2024

Este mes hay aspectos planetarios que afectarán tu profesión. Una persona sin escrúpulos hará que te retrases en un proyecto.

Si no tienes pareja, debes pensar en salir con amigos y socializar porque el amor literalmente se encuentra en tu camino. Recuerda que, aunque hay caos por todas partes, esto no tiene por qué afectarte. Trata de no permitir que los problemas de otros sean los tuyos. Trata de estar cerca para observar, pero lejos para que mantengas tus manos limpias.

Este mes tendrás la necesidad de llamar a alguien para pedirle disculpas por un error que cometiste, podría tratarse de una expareja.

Estás comenzando una etapa clave en tu vida, es momento de comenzar a pensar en los pasos que tienes que dar para conseguir todo lo que te has propuesto.

Tus acciones al final del mes darán los resultados que has deseado. Las cosas volverán a la normalidad. Si, por casualidad, un proyecto se retrasa, no intentes apresurarlo, aprovecha para estructurarlo un poco más, porque el retraso es señal de que debes cuidar detalles que has estado ignorando.

Números de la suerte
5 - 6 - 26 - 31 - 33

Octubre 2024

Este mes te encontrarás en situaciones que te despertarán emociones muy fuertes con las que no podrás lidiar. Te tomarás todo personalmente.

Financieramente es aconsejable que no hagas demasiadas compras grandes. Trata de mantener tus gastos bajo control.

Podrás llegar a acuerdos beneficiosos con tus superiores, aunque los resultados finales los verás con el tiempo. Debes ser muy cuidadoso con tus reacciones.

Debes comenzar a cuidar más tu salud, es probable que tengas algún padecimiento, no te decaigas si algún resultado médico no sale como esperabas, podrás dar vuelta a esta situación más adelante.

Te enfrentarás con alguien que tiene muchas influencias en tu trabajo, no puedes dejar que te pase por encima, si lo permites siempre será así.

Algunos conflictos familiares te amargaran la vida a final del mes, es recomendable que dejes los problema a un lado y no permitas que se agrande la diferencia que han tenido.

Números de la suerte
4 - 5 - 18 - 20 - 32

Noviembre 2024

Este mes dejarás de lado muchas cosas que te gustan y le darás prioridad al trabajo para ganar más dinero. No dejes de practicar ejercicios ya que eso trae grandes beneficios a tu salud y a tu estado de ánimo. Debes también dejar espacio para la diversión, no siempre todo debe ser trabajo, debes comenzar a disfrutar más.

Tendrás muy poca paciencia con las personas que trabajas y eso te provocará malestares hasta el punto de querer abandonar tu puesto y buscar otras opciones. Los roces son normales, sobre todo cuando compartimos con las mismas personas todos los días. No debes irte del lugar donde estás porque es probable que no encuentres algo con las mismas condiciones.

No es buena idea que le reclames a tu pareja por todo. El amor es una inversión. El dinero, el tiempo y el esfuerzo que invertimos se transforma en el bienestar de la persona que amamos.

Quizás desees asociarte con una persona que no conoces para comenzar un negocio. Debes formular tus estrategias con prudencia.

Números de la suerte
3 - 25 - 28 - 34 - 36

Diciembre 2024

Los aspectos planetarios de este mes podrían arruinar tus esfuerzos. Las posibilidades de confundirte con tus ideas serán abundantes, así que no tomes ninguna decisión o abras la boca sin pensar.

La forma en la que ganas dinero cambiará. Tienes la oportunidad de un logro importante en tu trabajo.

Necesitas ser más tolerante con tu pareja, no puedes estar todo el tiempo pensando que los errores que comete son un motivo para poner fin a la relación.

Desafortunadamente, las consecuencias de las decisiones tomadas hace meses te afectarán. Debes dejar de lado tus ambiciones y enfocar tu atención en los asuntos familiares. Si está planificando cambios en tu área profesional, es mejor que esperes al próximo año.

Si deseas una relación, el amor te está esperando, hay una oportunidad para un romance apasionado en el horizonte. Al final del mes con las fiestas puedes sufrir de problemas estomacales, que no debes subestimar. Las personas con sobrepeso deberían comenzar a planificar adelgazar en enero. Al cerrar el año, las cosas se te escapan de las manos o se retrasan.

Números de la suerte

5 - 11 - 16 - 34 - 36

Las Cartas del Tarot, un Mundo Enigmático y Psicológico.

La palabra Tarot significa "camino real", el mismo es una práctica milenaria, no se sabe con exactitud quién inventó los juegos de cartas en general, ni el Tarot en particular; existen las hipótesis más disímiles en este sentido.

Algunos dicen que surgió en la Atlántida o en Egipto, pero otros creen que los tarots vinieron de la China o India, de la antigua tierra de los gitanos, o que llegaron a Europa a través de los cátaros. El hecho es que las cartas del tarot destilan simbolismos astrológicos, alquímicos, esotéricos y religiosos, tanto cristianos como paganos.

Hasta hace poco algunas personas si le mencionabas la palabra 'tarot' era común que se imaginaran una gitana sentada delante de una bola de cristal en un cuarto rodeado de misticismo, o que pensaran en magia negra o brujería, en la actualidad esto ha cambiado.

Esta técnica antigua ha ido adaptándose a los nuevos tiempos, se ha unido a la tecnología y muchos jóvenes sienten un profundo interés por ella.

La juventud se ha aislado de la religión porque consideran que ahí no hallarán la solución a lo que necesitan, se dieron cuenta de la dualidad de esta, algo que no sucede con la espiritualidad. Por todas las redes sociales te encuentras cuentas dedicadas al estudio y lecturas del tarot, ya que todo lo relacionado con el esoterismo está de moda, de hecho, algunas decisiones jerárquicas se toman teniendo en cuenta el tarot o la astrología.

Lo notable es que las predicciones que usualmente se relacionan al tarot no son lo más buscado, lo relacionado al autoconocimiento y la asesoría espiritual es lo más solicitado.

El tarot es un oráculo, a través de sus dibujos y colores, estimulamos nuestra esfera psíquica, la parte más recóndita que va más allá de lo natural. Varias personas recurren al tarot como una guía espiritual o psicológica ya que vivimos en tiempos de incertidumbre y esto nos empuja a buscar respuestas en la espiritualidad.

Es una herramienta tan poderosa que te indica concretamente qué está pasando en tu subconsciente para que lo puedas percibir a través de los lentes de una nueva sabiduría.

Carl Gustav Jung, el afamado psicólogo, utilizó los símbolos de las cartas del tarot en sus estudios psicológicos. Creó la teoría de los arquetipos, donde descubrió una extensa suma de imágenes que ayudan en la psicología analítica.

El empleo de dibujos y símbolos para apelar a una comprensión más profunda se utiliza frecuentemente en el psicoanálisis. Estas alegorías constituyen parte de nosotros, correspondiendo a símbolos de nuestro subconsciente y de nuestra mente.

Nuestro inconsciente tiene zonas oscuras, y cuando utilizamos técnicas visuales podemos llegar a diferentes partes de este y desvelar elementos de nuestra personalidad que desconocemos. Cuando logras decodificar estos mensajes a través del lenguaje pictórico del tarot puedes elegir que decisiones tomar en la vida para poder crear el destino que realmente deseas.

El tarot con sus símbolos nos enseña que existe un universo diferente, sobre todo en la actualidad donde todo es tan caótico y se les busca una explicación lógica a todas las cosas.

El Mundo, Carta del Tarot para Leo 2024

Símbolo de éxito, victoria y una vida cómoda. Significa la realización de tus planes. Es el final y el principio de algo mejor, un nuevo ciclo en tu vida.

Tus esfuerzos finalmente darán frutos, e indica que has llegado al final de un viaje o has completado un periodo importante en tu vida.

Tú has sufrido dificultades y desafíos a lo largo del camino, pero éstos sólo te han hecho más fuerte y sabio. Con más experiencia que cuando comenzaste por primera vez el viaje.

Esta carta del Tarot es un indicador de un cambio importante e inexorable, de amplitud tectónica. Este cambio representa una oportunidad para que termines con lo viejo y des buen inicio a lo nuevo.

Indica madurez, un sentido de equilibrio interno y un entendimiento más profundo.

Sugiere que puedes estar aproximándote a una compresión más madura de tu identidad y la seguridad en ti mismo que viene con la edad.

También representa la caída de las barreras, a veces de sentido espiritual, pero a veces en el sentido puramente físico, indicando un futuro con viajes.

Runas del Año 2024

Las runas son un conjunto de símbolos que forman un alfabeto. "Runa" significa secreto y simboliza el ruido de una piedra chocando con otra. Las runas son un antiguo método visionario y mágico.

Las runas no sirven para predicciones exactas, pero sí para orientarte sobre un hecho futuro, un tema o una decisión.

Las runas tienen un significado específico para la persona que lo desee, pero también algún mensaje relacionado con las adversidades que se presentan en la vida.

Othila, Runa de Leo 2024

Antiguamente, los vikingos le daban extrema importancia a la runa Othila ya que simboliza el bienestar familiar, y el hogar.

Othila es una runa beneficiosa para adquirir propiedades, e invertir en cosas materiales. Te pronostica el triunfo en lo que comiences, desarrollo personal, y metas cumplidas. Pronostica que recibes el premio por tu valentía y surgen oportunidades para avanzar.

Esta runa indica que debes pedir consejos a personas profesionales para que le puedas hacer frente a los retos que se avecinan.

No es fácil separarse de quienes estimas, pero es totalmente preciso para lograr tus objetivos, que además perjudicarán tu esfera familiar, social y laboral. Asume el reto y concéntrate en el camino que comienzas.

No debes tener una vida tridimensional, eso te consume. Debes adaptarte y ser hábil para cambiar tu rumbo. No puedes huir siempre, es tiempo de lanzarte, caminar la milla extra, y valerte por ti mismo.

En temas de salud te aconseja que hagas un alto y tomes un buen descanso. Haz estado muy ocupado con muchas cosas a la vez o simplemente haz estado muy activo, es por esto por lo que te recomienda parar.

Tómate unas merecidas vacaciones y recarga la energía, para regresar con el mejor ánimo y seguir con tus proyectos, o empezar nuevas cosas.

Colores de la Suerte

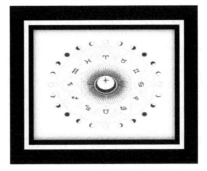

Los colores nos afectan psicológicamente; influyen en nuestra apreciación de las cosas, opinión sobre algo o alguien, y pueden usarse para influir en nuestras decisiones.

Las tradiciones para recibir el nuevo año varían de país a país, y en la noche del 31 de diciembre balanceamos todo lo positivo y negativo que vivimos en el año que se marcha. Empezamos a pensar qué hacer para transformar nuestra suerte en el nuevo año que se aproxima.

Existen diversas formas de atraer energías positivas hacia nosotros cuando recibimos el año nuevo, y una de ellas es vestir o llevar accesorios de un color específico que atraiga lo que deseamos para el año que va a comenzar.

Los colores tienen cargas energéticas que influyen en nuestra vida, por eso siempre es recomendable recibir el año vestidos de un color que atraiga las energías de aquello que deseamos alcanzar.

Para eso existen colores que vibran positivamente con cada signo zodiacal, así que la recomendación es que uses la ropa con la tonalidad que te hará atraer la prosperidad, salud y amor en el 2024. (Estos colores también los puedes usar durante el resto del año para ocasiones importantes, o para mejorar tus días.)

Recuerda que, aunque lo más común es usar ropa interior roja para la pasión, rosada para el amor y amarilla o dorada para la abundancia, nunca está demás adjuntar en nuestro atuendo el color que más beneficia a nuestro signo zodiacal.

Color de la Suerte para Leo

Leo

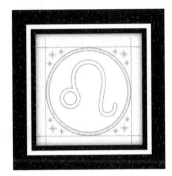

Rosa

Las palabras claves del color rosa son: inocencia, amor, entrega total, y ayuda al prójimo.

El rosa es un color emocionalmente relajado e influye en los sentimientos convirtiéndolos en amables, suaves y profundos.

Nos hace sentir cariño, amor y protección. También nos aleja de la soledad y nos convierte en personas sensibles.

Así como el rojo refleja más la parte sexual, el rosa se asocia al amor altruista y verdadero.

Rosado es el color del amor universal, el amor a uno mismo y a los demás, la amistad, el afecto, la armonía, la paz interior.

Utiliza el color rosa cuando quieras alentar una ya relación, sea amistad o romántica.

Amuletos para la Suerte

¿Quién no posee un anillo de la suerte, una cadena que nunca se quita o un objeto que no regalaría por nada de este mundo? Todos le atribuimos un poder especial a determinados artículos que nos pertenecen y ese carácter especial que asumen para nosotros los convierte en objetos mágicos.

Para que un talismán pueda actuar e influir sobre las circunstancias, su portador debe tener fe en él y esto lo transformará en un objeto prodigioso, apto para cumplir todo lo que se le pida.

Usualmente un amuleto es cualquier objeto que propicia el bien como medida preventiva contra el mal, el daño, la enfermedad, y la brujería.

Los Amuletos para la buena suerte pueden ayudarte a tener un año 2024 lleno de bendiciones en tu hogar, trabajo, con tu familia, atraer dinero y salud. Para que los amuletos funcionen *adecuadamente no debes prestárselos a nadie más, y debes tenerlos siempre a mano.*

Los amuletos han existido en todas las culturas, y están hechos a base de elementos de la naturaleza que sirven como catalizadores de energías que ayudan a crear los deseos humanos.

Al amuleto se le asigna el poder de alejar los males, los hechizos, enfermedades, desastres o contrarrestar los malos deseos lanzados a través de los ojos de otras personas.

Amuleto para Leo

Unicornio.

El unicornio simboliza la esperanza de sanación y la fuerza que todos buscamos. El Unicornio lo puedes utilizar para amplificar tus dones psíquicos.

El unicornio representa la pureza, el amor incondicional y la magia. Esta criatura mitológica ha sido venerada por su fuerza divina y por ser una fuente de energía que nos permite conectar con el reino espiritual. La presencia del unicornio en tu vida te recordará que la magia y el amor están siempre presentes, y que eres fuerte. Es un animal que atrae la buena suerte y la justicia. Como símbolo de pureza y te protegerá y cuidar de todo mal.

Cuarzos de la Suerte

Todos nos sentimos atraídos por los diamantes, rubíes, esmeraldas y zafiros, evidentemente son piedras preciosas. También son muy apreciadas las piedras semipreciosas como la cornalina, ojo de tigre, cuarzo blanco y el lapislázuli ya que han sido usadas como ornamentos y símbolos de poder por miles de años.

Lo que muchos desconocen es que ellos eran valorados por algo más que su belleza: cada uno tenía un significado sagrado y sus propiedades curativas eran tan importantes como su valor ornamental.

Los cristales siguen teniendo las mismas propiedades en nuestros días, la mayoría de las personas están familiarizadas con los más populares como la amatista, la malaquita y la obsidiana, pero actualmente hay nuevos cristales como el larimar, petalita y la fenacita que se han dado a conocer.

Un cristal es un cuerpo solido con una forma geométricamente regular, los cristales se formaron cuando la tierra se creó y han seguido metamorfoseándose a medida que el planeta ha ido cambiando, los cristales son el ADN de la tierra, son almacenes en miniatura que contienen el desarrollo de nuestro planeta a lo largo de millones de años.

Algunos han sido doblegados a extraordinarias presiones y otros crecieron en cámaras hondamente enterradas bajo tierra, otros gotearon hasta llegar a ser. Tengan la forma que tengan, su estructura cristalina puede absorber, conservar, enfocar y emitir energía.

En el corazón del cristal está el átomo, sus electrones y protones. El átomo es dinámico y está compuesto por una serie de partículas que rotan alrededor del centro en movimiento constante, de modo que, aunque el cristal pueda parecer inmóvil, en realidad es una masa molecular viva que vibra a cierta frecuencia y esto es lo que da la energía al cristal.

Las gemas solían ser una prerrogativa real y sacerdotal, los sacerdotes del judaísmo llevaban una placa sobre el pecho llena de piedras preciosas la cual era mucho más que un emblema para designar su función, pues transfería poder a quien la usaba.

Los hombres han usado las piedras desde la edad de piedra ya que tenían una función protectora guardando de diversos males a sus portadores. Los cristales actuales tienen el mismo poder y podemos seleccionar nuestra joyería no solo en función de su atractivo externo, tenerlos cerca de nosotros puede potenciar nuestra energía (cornalina naranja), limpiar el espacio que nos rodea (ámbar) o atraer riqueza (citrina).

Ciertos cristales como el cuarzo ahumado y la turmalina negra tienen la capacidad de absorber la negatividad, emiten una energía pura y limpia.

Usar una turmalina negra alrededor del cuello protege de las emanaciones electromagnéticas incluyendo la de los teléfonos celulares, una citrina no sólo te atraerá riquezas, sino que también te ayudará a conservarlas, sitúala en la parte de la riqueza en tu hogar (la parte posterior izquierda más alejada de la puerta de entrada).

Si estás buscando amor, los cristales pueden ayudarte, sitúa un cuarzo rosado en la esquina de las relaciones en tu casa (la esquina derecha posterior más alejada de la puerta principal) su efecto es tan potente que conviene añadir una amatista para compensar la atracción.

También puedes usar la rodocrosita, el amor se presentará en tu camino.

Los cristales pueden curar y dar equilibrio, algunos cristales contienen minerales conocidos por sus propiedades terapéuticas, la malaquita tiene una alta concentración de cobre, llevar un brazalete de malaquita permite al cuerpo absorber mínimas cantidades de cobre.

El lapislázuli alivia la migraña, pero si el dolor de cabeza es causado por estrés, la amatista, el ámbar o la turquesa situados sobre las cejas lo aliviarán.

Los cuarzos y minerales son joyas de la madre tierra, date la oportunidad, y conéctate con la magia que desprenden.

Cuarzo de la Suerte para Leo 2024

Cornalina

Cuarzo positivo para aquellas personas que tienen problemas para concentrarse, que están enajenados mentalmente o complicados en la vida. Concede coraje y protección. Es indicada para las personas melancólicas.

Es utilizada como talismán en los hogares y negocios como defensa contra el mal de ojo, y las envidias. Está conectada a la energía de la autoridad y la pasión.

Se recomienda para obtener el éxito profesional, tranquilizar las dudas y para dar claridad mental cuando hay que tomar una decisión de índole profesional.

Para quienes les cuesta trabajo hablar en público, la cornalina los ayuda a tener el valor para enfrentar ese obstáculo. Es sugerida para quienes tienen problemas nerviosos, ya que la proyección energética del cuarzo ayuda a lograr el sueño y estar tranquilo, por ende, favorece el descanso físico, y mental.

Leo y la Vocación

Leo tiene un sentido de la integridad excelente. Es fiel, y con muchos valores personales. Procura siempre tomar decisiones de acuerdo con lo que cree correcto, sin perjudicar las necesidades o los intereses de los demás.

Tiene un corazón noble y valora la lealtad, sobre cualquier otra cosa. No soporta la traición, el comportamiento disimulado o la ausencia de valores. Esto los hace muy agradables y su actitud positiva y trabajo duro los empujan a diferentes vocaciones y a sobresalir en lo que hagan.

Mejores Profesiones

Su capacidad para asumir roles de liderazgo los convierte en buenos jefes, y esto los coloca siempre en el foco de atención o en posiciones de poder. Son muy sociables y de buen carácter. Posiciones de autoridad, Actuación, Política, Deportes de alto riesgo y presidentes.

Rituales para el Mes de Enero

Enero 2024

Domingo	Lunes	Martes	Miércoles	Jueves	Viernes	Sábado
	1	2	3	4	5	6
7	8	9	10	11 Luna Nueva	12	13
14	15	16	17	18	19	20
21	22	23	24	25 Luna Llena	26	27
28	29	30	31			

Enero 11, 2024 Luna Nueva Capricornio 20°44'

Enero 25, 2024 Luna Llena Leo 5°14

Mejores rituales para el dinero

Jueves 11 de enero del 2024 *(día de Júpiter). Luna Nueva en Capricornio, un signo de estabilidad. Buen día organizar nuestras metas, nuestras vocaciones, nuestra carrera, para obtener honores. Para pedir un aumento de sueldo, para hacer presentaciones, hablar en público. Para hechizos relacionados al trabajo o dinero. Rituales relacionados con obtener ascensos y promociones, las relaciones con superiores y conseguir el éxito.*

Jueves 25 de enero 2024 *(día de Venus) Favorable para los hechizos de dinero, amor y asuntos legales. Rituales relacionados con prosperidad y obtención de empleos.*

Ritual para la Suerte en los Juegos de Azar

En un billete de lotería escribes la cantidad de dinero que quieres ganar en la parte delantera del billete y en el reverso tu nombre. Quemas el billete con

una vela color verde. Recoge las cenizas en un papel violeta y entiérralas.

Ganar Dinero con la Copa Lunar. Luna Llena

Necesitas:
- 1 copa de cristal
- 1 plato grande
- Arena fina
- Purpurina dorada (glitter)
- 4 tazas de sal marina
- 1 cuarzo malaquita
- 1 taza de agua de mar, de rio o sagrada
- Ramas de canela o canela en polvo
- Albahaca seca o fresca
- Perejil fresco o seco
- Granos de maíz
- 3 billetes de denominación corriente

Coloca dentro de la copa los tres billetes doblados, las ramas de canela, los granos de maíz, la malaquita, la albahaca y el perejil. Mezcla la purpurina con la arena y agrégala en la copa hasta llenarla completamente. Bajo la luz de la Luna Llena, coloca el plato con las cuatro tazas de sal marina.

Coloca la copa en el medio del plato, rodeada por la sal. Derrama la taza de agua sagrada en el plato, de forma que humedezca bien la sal, déjalo toda la noche a la luz de la Luna Llena, y parte del día hasta que el agua se vaporice y la sal esté nuevamente seca.

Agregas cuatro o cinco granitos de sal a la copa y botas el resto.

Lleva la copa para adentro de tu casa, en algún lugar visible o donde guardas el dinero.

Todos los días de Luna Llena vas a esparcir por cada rincón de tu casa un poco del contenido de la copa, y lo barres al día siguiente.

Mejores rituales para el Amor

Viernes 19 de enero 2024 *(Dia de Venus). Apropiado para hechizos o rituales relacionados con el amor, contratos, y asociaciones.*

Hechizo para Endulzar a la Persona Amada

Escribes el nombre completo de la persona que amas y el tuyo encima de este siete veces en un papel cartucho (Brown paper).

Este papel lo colocas dentro de una copa de cristal y le pones miel, canela, un cuarzo rosado y pedacitos de cascara de naranja.

Mientras realizas el ritual repite en tu mente: "Te endulzo y entre nosotros reina solo el amor verdadero". Mantenlo en un lugar oscuro.

Ritual para Atraer el Amor

Necesitas

- Aceite de rosas

- 1 cuarzo rosado

- 1 manzana

- 1 rosa roja en un búcaro chiquito

- 1 rosa blanca en un búcaro chiquito

- 1 cinta roja larga

- 1 vela roja

Para mayor efectividad este ritual debe ser realizado un viernes o domingo a la hora del planeta Venus o Júpiter.

Debes consagrar la vela antes de empezar el ritual con aceite de rosas. Enciendes la vela. Cortas la manzana en dos pedazos y colocas uno en el búcaro de la rosa roja y otro en el de la rosa blanca. Enlaza con la cinta roja los dos búcaros. Los dejas toda la noche junto a la vela hasta que esta se consuma. Mientras realizas esta operación repite en tu mente: "Que la persona que está destinada a hacerme feliz aparezca en mi camino, la recibo y la acepto".

Cuando las rosas se sequen, junto con las mitades de las manzanas las entierras en tu patio o en una maceta con el cuarzo rosado.

Para Atraer un Amor Imposible

Necesitas:
- 1 rosa roja
- 1 rosa blanca
- 1 vela roja
- 1 vela blanca
- 3 velas amarillas
- Fuente de cristal
- Pentáculo # 4 de Venus

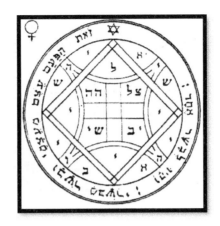

Pentáculo #4 de Venus.

Debes colocar las velas amarillas en forma de triángulo. Escribes por detrás del pentáculo de Venus tus deseos acerca del amor y el nombre de esa persona que quieres en tu vida, colocas la fuente encima del pentáculo en el medio. Enciendes la vela roja y la blanca y las pones en la fuente junto con las rosas. Repites esta frase: "Universo desvía hacia mi corazón la luz del amor de (nombre completo)".

Lo repites tres veces. Cuando se hayan apagado las velas llevas todo al patio y lo entierras.

Mejores rituales para la Salud

Martes 30 de enero 2024 (Dia de Marte). *Para protegerse, o recuperar la salud.*

Hechizo para proteger la Salud de nuestras Mascotas

Debes hervir agua mineral, tomillo, romero y menta. Cuando se enfríe colócalo en un envase atomizador delante de una vela verde y otra dorada.

Cuando las velas se consuman debes utilizar este atomizador sobre tu mascota durante nueve días. Principalmente sobre el pecho y el lomo.

Hechizo para mejorar Inmediatamente

Debes conseguir una vela blanca, una verde y otra amarilla.

Las consagrarás (de la base hacia la mecha) con esencia de pino y las colocarás encima de una mesa con un mantel azul clarito, en forma de triángulo.

En el centro, pondrás un pequeño recipiente de cristal con alcohol y una pequeña amatista.

En la base del recipiente un papel con el nombre de la persona enferma o foto con su nombre completo atrás y fecha de nacimiento.

Enciendes las tres velas y las dejas prendidas hasta que se consuman totalmente.

Mientras realizas este ritual visualiza a la persona completamente sana.

Hechizo para Adelgazar

Debes pincharte el dedo con un alfiler y en un papel blanco echar 3 gotas de tu sangre y una cucharada de azúcar, después cierras el papel envolviendo la sangre con el azúcar.

Colocas este papel en un envase de vidrio nuevo y sin dibujos, llenas el vaso hasta la mitad de tu orina, lo dejas toda la noche delante de una vela blanca y al otro día lo entierras.

Rituales para el Mes de Febrero

Febrero 2024

Domingo	Lunes	Martes	Miércoles	Jueves	Viernes	Sábado
				1	2	3
4	5	6	7	8	9 Luna Nueva	10
11	12	13	14	15	16	17
18	19	20	21	22	23 Luna Llena	24
25	26	27	28	29		

Febrero 9, 2024 Luna Nueva Acuario 20°40'

Febrero 23, 2024 Luna Llena Virgo 5°22'

Mejores rituales para el dinero

9 de febrero 2024 (Dia de Venus). En esta fase se trabaja para acrecentar cualquier cosa o atraerla. En este ciclo hacemos peticiones de que llegue el amor, aumente el dinero en nuestras cuentas o nuestro prestigio laboral.

Ritual para Aumentar la Clientela. Luna Gibosa Creciente

Necesitas:
- 5 hojas de ruda
- 5 hojas de verbena
- 5 hojas de romero
- 5 granos de sal gruesa de mar
- 5 granos de café
- 5 granos de trigo
- 1 piedra imán
- 1 bolsa blanca de tela
- Hilo rojo
- Tinta roja
- 1 tarjeta del negocio
- 1 maceta con una planta verde grande
- 4 cuarzos citrina

Coloca todos los materiales dentro de la bolsa blanca, a excepción del imán, la tarjeta y las citrinas. Seguidamente la coses con hilo rojo, después escribes en su exterior con tinta roja el nombre del negocio. Durante una semana completa deja la bolsa debajo del mostrador o en una gaveta de tu mesa de trabajo.

Pasado este tiempo la entierras en el fondo de la maceta junto a la piedra imán y la tarjeta del negocio. Para terminar encima de la tierra de la maceta coloca las cuatro citrinas en dirección de los cuatro puntos cardinales.

Hechizo para ser Próspero

Necesitas:

- 3 piritas o cuarzo citrinas

- 3 monedas doradas

- 1 vela dorada

- 1 bolsita roja

El primer día de la Luna Nueva colocas una mesa cerca de una ventana; sobre la mesa colocarás las monedas y los cuarzos en forma de triángulo. Enciendes la vela, colócala en el medio y mirando al cielo repites tres veces la siguiente oración:

"Luna que iluminas mi vida, utiliza el poder que tienes para atraerme el dinero y haz que estas monedas se multipliquen".

Cuando la vela se haya consumido metes las monedas y los cuarzos con la mano derecha en la bolsita roja, llévalas siempre contigo, será tu talismán para atraer el dinero, nadie debe tocarla.

Mejores rituales para el Amor
11, 22, 25 de febrero 2024. Para hechizos o rituales relacionados con el amor, contratos, y asociaciones.

Ritual para Consolidar el Amor

Este hechizo es más efectivo en la fase de Luna Llena.

Necesitas:
- *1 caja de madera*
- *Fotografías*
- *Miel*
- *Pétalos de rosas rojas*
- *1 cuarzo amatista*
- *Canela en rama*

Debes coger las fotografías, le escribes los nombres completos y las fechas de nacimiento, las colocas dentro de la cajita de forma que queden mirándose una a la otra.

Añades la miel, los pétalos de rosas, la amatista y la canela.

Colocas la cajita debajo de tu cama por trece días. Pasado este tiempo extrae la amatista de la cajita la lavas con agua de Luna.

La debes mantener contigo como amuleto para atraer ese amor que anhelas. El resto debes de llevarlo a un rio o un bosque.

Ritual para Rescatar un Amor en Decadencia

Necesitas:
- *2 velas rojas*
- *1 trozo de papel amarillo*
- *1 sobre rojo*
- *1 lápiz rojo*
- *1 foto de la persona amada y una foto tuya*
- *1 recipiente de metal*
- *1 cinta roja*
- *Aguja de coser nueva*

Este ritual es más efectivo durante la fase de Luna Creciente y un viernes a la hora del planeta Venus o el Sol. Debes consagrar tus velas con aceite de rosas o canela.

Escribes en el papel amarillo con el lápiz rojo tu nombre y el de tu pareja. También escribes lo que deseas con palabras cortas pero precisas. Escribes los nombres en cada vela con la aguja de coser. Enciendes las velas y colocas el papel entre las fotos puestas cara a cara y las atas con la cinta. Quemas las fotos en la recipiente de metal con la vela que tiene tu nombre y repites en voz alta:

"Nuestro se fortalece por la fuerza del universo y de todas las energía que existen a través del tiempo".

Colocas las cenizas en el sobre y cuando las velas se consuman metes el sobre debajo de tu colchón en la parte de la cabecera.

Mejores rituales para la Salud

4,12,19 de febrero 2024. Períodos aconsejable para intervenciones quirúrgicas, dado que favorece la capacidad de sanación.

Ritual para la Salud

Debes hervir en una cazuela varios pétalos de rosas blancas, romero y ruda. Cuando se enfríe le agregas esencia de rosas y aceite de almendras. Enciendes cinco velas moradas en tu cuarto de baño, que previamente habrás consagrado con aceite de naranja *y eucalipto. En una vela debes escribir el nombre de la persona. Báñate con esta agua y mientras estés bañándote, tienes que visualizar que las enfermedades no se acercaran a ti ni, a tu familia.*

Ritual para la Salud en la Fase de Luna Creciente

En un papel de aluminio colocarás sal marina, 3 dientes de ajo, cuatro hojas de laurel, cinco hojas de ruda, una turmalina negra y un papel con el nombre de la persona. Lo doblas y lo amarras con una cinta moradas. Lleva este amuleto contigo en el bolsillo de la chaqueta o el bolso.

Rituales para el Mes de Marzo

Marzo 2024

Domingo	Lunes	Martes	Miércoles	Jueves	Viernes	Sábado
					1	2
3	4	5	6	7	8	9
10 Luna Nueva	11	12	13	14	15	16
17	18	19	20	21	22	23
24 Luna Llena	25	26	27	28	29	30
31						

Marzo 10, 2024 Luna Nueva Piscis 20°16'

Marzo 24, 2024 Luna Llena Libra 5°07' (Eclipse Penumbral de Luna 5°13')

Mejores rituales   para el dinero

8,10,22 de marzo 2024. Rituales relacionados con prosperidad y obtención de empleos.

Hechizo para tener Éxito en las Entrevistas de Trabajo.

Colocas en una bolsita verde tres hojas de salvia, albahaca, perejil y ruda. Agregas un cuarzo ojo de tigre y una malaquita.

Cierras la bolsita con una cinta dorada. Para activarla los pones en tu mano izquierda a la altura del corazón y luego unos centímetros arriba pones la mano derecha, cierras tus ojos y te imaginas una energía blanca salir de tu mano derecha hacia tu mano izquierda cubriendo la bolsita.

La mantienes en tu cartera o bolsillo.

Ritual para que el Dinero siempre esté Presente en tu Hogar.

Necesitas una botella de cristal blanco, frijoles negros, frijoles colorados, semillas de girasol, granos de maíz, granos de trigo y un sahumerio de mirra.

Introduces todo en la botella en ese mismo orden, la cierras con una tapa de corcho y le echas el humo del sahumerio. Después la colocas como decoración en tu cocina.

Hechizo Gitano para la Prosperidad

Consigue una maceta mediana de barro y las pintas de color verde. En el fondo pones un poco de mirra, una moneda y unas gotitas de aceite de oliva. Cúbrelo con una capa de tierra y colocas semillas de tu planta favorita. Añades canela y más tierra. Debes tenerla en el comedor de tu casa y regarla para que crezca.

Mejores rituales   para el amor

1, 17, 24, 29 de marzo 2024

Ritual para Alejar Problemas en la Relación

Este ritual debes practicarlo durante el Eclipse de Luna o en la fase de Luna Llena.

Necesitas:
- 1 cinta blanca
- 1 tijeras nuevas
- 1 bolígrafo de tinta roja

Debes escribir en la cinta blanca con la tinta roja el problema que estás teniendo y el nombre de la persona. Después la picas en siete pedazos con las tijeras y mientras lo haces repites en alta voz:

""*Este es mi problema. Quiero que se vayas y no vuelvas nunca más. Por favor, aléjalo de mí. Así es".*

Colocas todo dentro de una bolsa negra y entiérralo.

Amarre de Amor

Necesitas:

- Hierba buena

- Albahaca

- Foto de la persona que amas que no tenga lentes y de cuerpo entero

- Foto tuya de cuerpo entero y sin lentes

- 1 pañuelo de seda amarillo

- 1 cajita de madera

Colocas dentro de la cajita las dos fotografías con el nombre escrito por atrás de cada uno. Le pones el pañuelo amarillo adentro y le esparces la albahaca y la hierba buena. Déjala expuesto a las energías de la Luna. Al día siguiente entiérralo en un lugar que nadie sepa, cuando estés abriendo el hoyo visualiza lo que deseas. Cuando llegue la Luna Llena desentierra la cajita y la botas en un rio o en el mar.

Mejores rituales para la Salud

Cualquier día, menos el sábado.

Hechizo contra la Depresión

Debes coger un higo con tu mano derecha y colocártelo en la parte izquierda de tu boca sin masticarlo o tragártelo. Después coges una uva con tu mano izquierda y lo colocas en la parte derecha de tu boca sin masticarla. Cuando ya tienes ambas frutas en la boca las muerdes a la misma vez y te los tragas, la fructuosa que emanan te dará energía y alegría.

Hechizo para Recuperación

Elementos Necesarios:

- *1 vela blanca o rosada*

- *Pétalos de la rosa*

- *Aceite de Eucalipto*

- *Aceite de limón*

- *Aceite de Naranja*

Debes escribir con una aguja de coser el nombre de la persona que necesita el hechizo. Consagra la vela con los aceites bajo la luna llena, mientras repites: "La tierra, el Aire, el Fuego, el Agua traen Paz, Salud, Alegría, y Amor a la vida de (dices el nombre de la persona)". Deja que la vela se consuma completamente. Los restos los puedes desechar en cualquier lugar.

Rituales para el Mes de Abril

Abril 2024

Domingo	Lunes	Martes	Miércoles	Jueves	Viernes	Sábado
	1	2	3	4	5	6
7	8 Luna Nueva	9	10	11	12	13
14	15	16	17	18	19	20
21	22 Luna Llena	23	24	25	26	27
28	29	30				

Abril 8, 2024 Luna Nueva y Eclipse Total de Sol en Aries 19°22'

Abril 22, 2024 Luna Llena Escorpion 23°:48'

Mejores rituales para el dinero

8, 7, 13, 22 de abril 2024

Hechizo Abre Caminos para la Abundancia.

Necesitas:
- *Laurel*
- *Romero*
- *3 monedas doradas*
- *1 vela dorada*
- *vela plateada*
- *1 vela blanca*

Realizar después de las 24 horas de la Luna Nueva.

Pones las velas en forma de pirámide, le colocas una moneda al lado a cada una y las hojas de laurel y romero en el medio de este triángulo. Enciende las velas en este orden: primero la plateada, blanca y dorada. Repite esta invocación: "Por el poder de la energía purificadora y de la energía infinita yo invoco la ayuda de todas las entidades que me protegen para sanar mi economía".

Dejas que las velas se consuman totalmente y guardas las monedas en tu cartera; estas tres monedas no las puedes gastar. Cuando el laurel y el romero se sequen las quemas y pasas el humo de este sahumerio por tu hogar o negocio.

Mejores rituales para el Amor
2, 13, 17 de abril 2024

Amarre Marroquí para el Amor

Necesitas:
- Saliva de la otra persona
- Sangre de la otra persona
- Tierra
- Agua de rosas
- 1 pañuelo rojo
- Hilo rojo

- *1 cuarzo rosado*
- *1 turmalina negra*

Debes colocar el pañuelo rojo sobre una mesa. Colocas la tierra encima del pañuelo y encima colocas la saliva, el cuarzo rosado, la turmalina negra y la sangre de la persona la cual quieres atraer. Rocías con agua de rosas todo y atas el pañuelo con el hilo rojo, cuidando que no se salgan los componentes. Debes enterrar este pañuelo.

Hechizo para Endulzar a la Persona Amada

Escribes el nombre completo de la persona que amas y el tuyo encima de este siete veces en un papel cartucho (Brown paper). Este papel lo colocas dentro de una copa de cristal y le pones miel, canela, un cuarzo rosado y pedacitos de cascara de naranja. Mientras realizas el ritual repite en tu mente: "Te endulzo y entre nosotros reina solo el amor verdadero". Mantenlo en un lugar oscuro.

Mejores rituales para la Salud

13, 21, 27 de abril 2024.

Hechizo Romano para la Buena Salud

Debes juntar cinco hojas de romero, ruda y pétalos de rosas blancas y hervirlas. Colocas el preparado, cuando se enfríe, por tres horas encima del tercer pentáculo de Mercurio. Añádele esencia de sándalo, rosa y aceite de lavanda. Ofrézcale estos baños a los Ángeles de la Guarda del niño durante cinco días encendiendo una vela morada para transformar lo negativo en positivo que previamente debes consagrar con aceite de mandarina.

Tercer Pentáculo de Mercurio

Rituales para el Mes de Mayo

Mayo 2024

Domingo	Lunes	Martes	Miércoles	Jueves	Viernes	Sábado
			1	2	3	4
5	6	7	8 Luna Nueva	9	10	11
12	13	14	15	16	17	18
19	20	21	22 Luna Llena	23	24	25
26	27	28	29	30	31	

Mayo 8, 2024 Luna Nueva Tauro 18°01'

Mayo 22, 2024 Luna Llena Sagitario 2°54'

Mejores rituales para el dinero

6, 13, 21, 25 de mayo 2024

"Imán de Dinero" Luna Creciente

Necesitas:

- 1 copa de vino vacía

- 2 velas verdes

- 1 puñado de arroz blanco

- 12 monedas de curso legal

- 1 imán

- Arroz blanco

Enciendes las dos velas que deben estar situadas una a cada lado de la copa de vino. En el fondo de la copa pones el imán. Después coges un puñado de arroz blanco y lo depositas en la copa. Después colocas dentro de la copa las doce monedas. Cuando las velas se consuman hasta el final, colocas las monedas en la esquina de la prosperidad de tu casa o negocio.

Hechizo para Limpiar la Negatividad en tu Casa o Negocio.

Necesitas:
- Cascarilla de un huevo
- 1 ramo de flores blancas
- Agua sagrada o agua de Luna Llena
- Leche
- Canela en Polvo
- Cubo de limpiar nuevo
- Trapeador nuevo

Empiezas barriendo tu casa o negocio de adentro hacia afuera de la calle repitiendo en tu mente que salga lo negativo y que entre lo positivo. Mezclas todos los ingredientes en el cubo y limpias el piso desde adentro hacia afuera de la puerta de la calle.

Dejas que el piso se seque y barres las flores hacia la puerta de la calle, las recoges y las botas en la basura junto con el cubo y el trapeador. No toques nada con tus manos. Debes hacerlo una vez a la semana, preferiblemente a la hora del planeta Júpiter.

Mejores rituales para el Amor
22 de mayo Luna Llena.

Lazo Irrompible de Amor

Necesitas:
- 1 cinta Verde
- 1 marcador rojo

Debes coger la cinta verde y escribir tu nombre completo y el de la persona que amas con tinta roja. Después escribes las palabras: amor, venus y pasión tres veces. Amarras la cinta a la cabecera de tu cama y cada noche haces un nudo por nueve noches consecutivas. Pasado este tiempo te amarras con tres nuditos la cinta en el brazo izquierdo. Cuando se rompa lo quemas y botas las cenizas en el mar o en un lugar donde corra el agua.

Ritual para que solo te Ame a Ti

Este ritual es más efectivo si lo realizas durante la fase de la Luna Gibosa Creciente y un viernes a la hora del planeta Venus.

Necesitas:
- *1 cucharada de miel*
- *1 Pentáculo # 5 de Venus.*
- *1 bolígrafo con tinta roja*
- *1 vela blanca*
- *1 aguja de coser nueva*

Pentáculo #5 de Venus.

Debes escribir por detrás del pentáculo de Venus con la tinta roja el nombre completo de la persona que amas y como deseas que ella se comporte contigo, debes ser especifico. Después lo mojas con la miel y lo enrollas en la vela de forma que se quede pegado. Lo aseguras con la aguja de coser. Cuando la vela se consuma entierras los restos y repites en alta voz: "El amor de (nombre) me pertenece solo a mí".

Té para Olvidar un Amor

Necesitas:
- 5 hojas de menta
- 1 cucharada de miel de abejas
- 3 ramitas de canela

En una taza de agua debes hervir todos los ingredientes, lo dejas reposar. Tómatelo pensando en todos los daños que esta persona te hizo. Los hombres deben tomarlo un martes o miércoles por la noche antes de acostarse y las mujeres los lunes o viernes antes de ir a la cama.

Ritual con tus Uñas para el Amor

Debes cortarte las uñas de las manos y los pies y colocarlas en un recipiente de metal a fuego medio para que se tuesten todos los residuos de estas uñas. Lo sacas y los trituras hasta convertirlos en polvo. Este polvo se lo darás a tu pareja en la bebida o comida.

.

Mejores rituales para la Salud
Cualquier día de mayo 2024. Excepto los sábados.

Fórmula Mágica para tener una Piel Brillante

Mezclas ocho cucharadas de miel, ocho cucharaditas de aceite de oliva, ocho cucharadas de azúcar morena, una cáscara de limón rallada y cuatro gotas de limón. Cuando quede como una masa suave vas a

ponértela en todo el cuerpo haciéndote un masaje por cinco minutos.

Después te bañas y alternas aguas calientes y luego con agua fría.

Hechizo para Curar el Dolor de Muelas

Debes hacer con sal marina una estrella de cinco puntas, grande porque tienes que pararte en el centro de esta.

En cada punta colocas una vela negra y el símbolo del tetragrámaton (puedes imprimir la imagen), hojas de romero, laurel, cáscaras de manzana y hojas de lavanda.

Cuando sean las 12:00am te paras en el centro, enciendes las velas y repites:

sanus ossa mea sunt: et labia circa dentes meos

Símbolo del Tetragrámaton

Rituales para el Mes de Junio

Junio 2024

Domingo	Lunes	Martes	Miércoles	Jueves	Viernes	Sábado
						1
2	3	4	5	6 Luna Nueva	7	8
9	10	11	12	13	14	15
16	17	18	19	20 Luna Llena	21	22
23	24	25	26	27	28	29
30						

Junio 6, 2024 Luna Nueva Géminis 16°17'

Junio 20, 2024 Luna Llena Capricornio 1°06'

Mejores rituales para el dinero
6,13,20, 27 son jueves, días de Júpiter.

Hechizo Gitano para la Prosperidad

Consigue una maceta mediana de barro y las pintas de color verde. En el fondo pones un poco de mirra, una moneda y unas gotitas de aceite de oliva. Cúbrelo con una capa de tierra y colocas semillas de tu planta favorita. Añades canela y más tierra. Debes tenerla en el comedor de tu casa y regarla para que crezca.

Fumigación Mágica para mejorar la Economía de tu Hogar.

Debes encender tres carbones en un recipiente de metal o barro y agregarle una cucharada de canela, romero y cáscaras de manzanas secas. Lo pasas por toda la casa caminando en el sentido de las agujas del reloj.

Después colocas en un cubo de agua pétalos de rosas blancas y lo dejas reposar por tres horas.

Con esta agua limpiarás tu hogar.

Esencia Milagrosa para Atraer Trabajo.

En una botella de cristal oscuro colocarás 32 gotas de alcohol, 20 gotas de agua de rosas, 10 gotas de agua de lavanda y unas hojas de jazmín.

Lo agitas varias veces pensando en lo que deseas atraer.

Lo pones en un difusor, puedes utilizarlo para tu casa, negocio o como perfume personal.

Hechizo para Lavarnos las Manos y Atraer Dinero.

Necesitas una recipiente de barro, miel y agua de Luna Llena.

Lávate las manos con este líquido, pero que el agua se quede dentro de la cazuela.

Después deja la ollita frente a un negocio próspero o casino de juegos de azar.

Mejores rituales para el Amor
Cualquier día de junio 2024. Excepto los sábados.

Ritual para Prevenir Separaciones

Necesitas:
- *1 maceta con flores rojas*
- *Miel*
- *Pentáculo # 1 de Venus*
- *1 vela roja en forma de pirámide*
- *Fotografía de la persona amada*
- *7 velas amarillas*

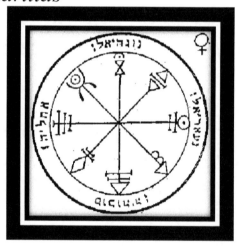

Pentáculo #1 de Venus.

Debes encender las siete velas amarillas en forma de círculo. Después escribes por detrás del pentáculo de Venus el siguiente conjuro:

""*Te ruego que me ames toda esta vida, mi querido amor*" *y el nombre de la otra persona. Este pentáculo lo entierras en la maceta después de doblarlo en cinco partes juntamente con la foto. Enciendes la vela roja y derramas la miel sobre la tierra de la maceta.*

Mientras realizas esta operación repites en alta voz el siguiente conjuro: "Gracias al poder del Amor, oramos, por eso (nombre de la persona), con un sentido de amor verdadero que es el mío, se preserva para que nadie ni ninguna fuerza pueda separarnos".

Cuando las velas se consuman botas los restos en la basura. La maceta la mantienes a tu alcance y la cuidas.

Hechizo Erótico

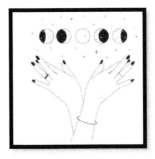

Debes conseguir una vela roja en forma de pene o vagina (dependiendo del sexo de quien practique el hechizo). Escribes el nombre de la otra persona en la misma.

Debes consagrarla con aceite de girasol y canela.

Debes encenderla una vez al día, dejándola que se queme solamente dos centímetros.

Cuando la vela se consuma totalmente colocas los restos dentro de una bolsita de tela roja junto con el pentáculo #4 de Marte.

Esta bolsita la debes mantener debajo de tu colchón por quince días.

Después de este tiempo la puedes botar en la basura.

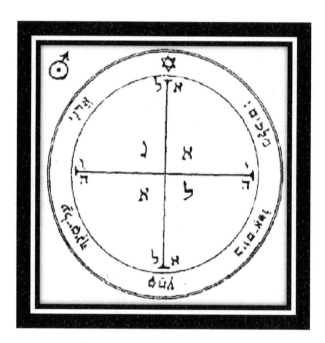

Pentáculo #4 Marte

Ritual con Huevos para Atraer

Necesitas:
- 4 huevos
- Pintura amarilla

Debes pintar los cuatro huevos de amarillo y escribir esta palabra "él viene a mí".

Coges dos huevos y los rompes en las esquinas delantera de la casa de la persona que quieres atraer.

Otro huevo lo rompes en el mismo frente de la casa de esta persona. Al tercer día botas el cuarto huevo en un rio.

Hechizo Africano para el Amor

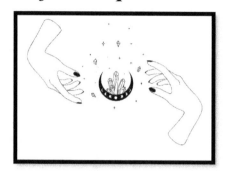

Necesitas:
- *1 huevo*
- *5 velas rojas*
- *1 pañuelo negro*
- *Calabaza*
- *Aceite de canela*
- *5 agujas de coser*
- *Miel de abejas*
- *Aceite de Oliva*
- *5 pedazos de masa de pan*
- *Pimienta de guinea*

Abres un orificio en la calabaza, después que hayas escrito el nombre completo de la persona que quieres atraer en un papel cartucho, lo introduces dentro de la misma.

Atraviesas la calabaza con las agujas repitiendo el nombre de esta persona. Echas los demás ingredientes dentro de la calabaza y la envuelves en el pañuelo negro. Dejas la calabaza así envuelta por cinco días enfrente de las velas rojas, una por día. Al sexto día entierras la calabaza en la orilla de un rio.

Mejores rituales para la Salud
Cualquier día de junio 2024

Hechizo para Adelgazar

Debes pincharte el dedo con un alfiler y en un papel blanco echar 3 gotas de tu sangre y una cucharada de azúcar, después cierras el papel envolviendo la sangre con el azúcar.

Colocas este papel en un envase de vidrio nuevo y sin dibujos, llenas el vaso hasta la mitad de tu orina, lo dejas toda la noche delante de una vela blanca y al otro día lo entierras.

Hechizo para Mantener la Buena Salud

Elementos necesarios.

- *1 vela blanca.*

- *1 estampita del Ángel de tu devoción.*

- *3 inciensos de sándalo.*

- *Carbones vegetales.*

- *Hierbas secas de eucalipto y albahaca.*

- *Un puñado de arroz, un puñado de trigo.*

- *1 plato blanco o una bandeja.*

- *8 Pétalos de rosas de color rosa.*

- *1 frasco de perfume, personal.*

- *1 cajita de madera.*

Debes limpiar el ambiente encendiendo los carbones vegetales en un recipiente de metal. Cuando los carbones estén bien encendidos, les colocarás poco a poco las hierbas secas y recorrerás la habitación con el recipiente, para que se eliminen las energías negativas.

Terminado el sahumerio debes abrir las ventanas para que se disipe el humo.

Prepara un altar encima de una mesa cubierta de un mantel blanco. Coloca encima de ella la estampita escogida y alrededor colocas los tres inciensos en forma de triángulo. Debes consagrar la vela blanca, después la enciendes y la pones frente al ángel juntamente con el perfume destapado.

Debes estar relajado, para eso debes concentrarte en tu respiración. Visualiza a tu ángel y agradécele por toda la buena salud que tienes y la que tendrás siempre, este agradecimiento tiene que salir de lo profundo de tu corazón.

Después de haber realizado el agradecimiento, le entregarás a manera de ofrenda el puñado de arroz y el puñado de trigo, que debes colocar dentro de la bandeja o plato blanco.

 Dispersa sobre el altar todos los pétalos de rosas, dando nuevamente gracias por los favores recibidos. Terminado el agradecimiento dejarás la vela encendida hasta que se consuma totalmente. Lo último que debes hacer es juntar todos los restos de vela, de los sahumerios, el arroz y el trigo, y colocarlos en una bolsa de plástico y la botarás en un lugar donde haya árboles sin la bolsa.

La estampita del ángel junto con los pétalos de rosa colócalas dentro de la caja y ubícala en un lugar seguro de tu casa. El perfume energizado, lo utilizas usará cuando sientas que las energías están bajando, a la vez que visualizas a tu ángel y le pides su protección.

Baño de Protección antes de una Operación Quirúrgica

Elementos necesarios:

- Campana Morada

- Agua de Coco

- Cascarilla

- Colonia 1800

- Siempre Viva

- Hojas de Menta

- Hojas de Ruda

- Hojas de Romero

- Vela Blanca

- Aceite de Lavanda

Hierves todas las plantas en el agua de coco, cuando se enfríe lo cuelas y le agregas la cascarilla, colonia, el aceite de lavanda y enciendes la vela en la parte oeste de tu cuarto de baño. Viertes la mezcla en el agua del baño. Sino tienes bañera te lo echas encima y no te secas.

Rituales para el Mes de Julio

Julio 2024

Domingo	Lunes	Martes	Miércoles	Jueves	Viernes	Sábado
	1	2	3	4	5	6 Luna Nueva
7	8	9	10	11	12	13
14	15	16	17	18	19	20 Luna Llena
21	22	23	24	25	26	27
28	29	30	31			

Julio 6, 2024 Luna Nueva Cáncer 14°23'

Julio 20, 2024 Luna Llena Capricornio 29°08'

Mejores rituales para el dinero

6,20 y 22 de Julio, el Sol entra en Leo.

Limpieza para Conseguir Clientes.

Machacas en un mortero diez avellanas sin cáscara y un ramito de perejil.

Hierves dos litros de agua de Luna Llena y agrégale los ingredientes que machacaste. Déjalos hervir por 10 minutos y luego cuélalo.

Con esta infusión limpiarás el piso de tu negocio, desde la puerta de entrada hasta el fondo de este.

Debes repetir esta limpieza todos los lunes y jueves por espacio de un mes, de ser posible a la hora del planeta Mercurio.

Atrae a la Abundancia Material. Luna en Cuarto Creciente

Necesitas:

- 1 moneda de oro o un objeto de oro, sin piedras.

- 1 moneda de cobre

- 1 moneda de plata

Durante una noche de Luna Cuarto Creciente con las monedas en tus manos, dirígete a un lugar donde los rayos de la Luna las iluminen.

Con las manos en alto vas a repetir: "Luna ayúdame a que mi fortuna siempre crezca y la prosperidad siempre me acompañe".

Haz que las monedas suenen dentro de tus manos.

Después las guardarás en tu cartera. Puedes repetir este ritual todos los meses.

Hechizo para Crear un Escudo Económico para tu Negocio o trabajo.

Necesitas:
- 5 pétalos de flores amarillas
- Semillas de girasol
- Cáscara de un limón secada al sol
- Harina de trigo
- 3 monedas de uso corriente

Trituras en un mortero las flores amarillas y las semillas de girasol, después le agregas la cáscara de limón y la harina de trigo.

Mezclas bien los ingredientes y los guardas junto con las tres monedas en un frasco herméticamente cerrado.

Este preparado lo debes usar todas las mañanas antes de salir de tu casa.

Debes introducir en el frasco las yemas de los cinco dedos de la mano izquierda primero y de la derecha después, luego te lo frotas en las palmas de las manos.

Mejores rituales para el Amor

Cualquier día de Julio.

Hechizo para Obtener Dinero Express.

Este hechizo es más efectivo si lo realizas un jueves.

Vas a llenar una fuente de cristal con arroz.

Después enciendes una vela verde (la cual previamente debes haber consagrado) y la colocas en el centro de la fuente.

Enciendes el incienso de canela y rodeas la fuente con su humo a favor de las manecillas del reloj seis veces.

Mientras realizas este procedimiento repites mentalmente: "Abro mi mente y mi corazón a la riqueza.

La abundancia llega a mí, ahora y todo está bien.

El universo está irradiando riqueza a mi vida, ahora". Los restos los puedes desechar en la basura.

Baño para Atraer Ganancias Económicas

Necesitas:

- 1 planta de ruda

- Agua florida

- 5 flores amarillas

- 5 cucharadas de miel de abeja

- 5 palitos de canela

- 5 gotas de esencia de sándalo

- 1 varita de incienso de sándalo

El primer día de Luna Creciente durante una hora favorable para la prosperidad, hierve todos los ingredientes por cinco minutos, con excepción del Aguaflorida y el incienso. Divide este baño porque lo debes hacer por cinco días. El que no utilices lo debes conservar en frio. Añade un poco de Aguaflorida a la preparación y enciende el incienso. Báñate y enjuágate como de rutina. Lentamente dejas caer el preparado desde tu cuello hasta los pies. Realiza lo anterior durante cinco días consecutivos.

Mejores rituales   para la Salud

Cualquier día de Julio.

Hechizo para un Dolor Crónico.

Elementos Necesarios:

- 1 vela dorada

- 1 vela blanca

- 1 vela verde

- 1 Turmalina negra

- 1 foto suya u objeto personal

- 1 vaso con agua de Luna

- Fotografía de la persona u objeto personal

Coloca las 3 velas en forma de triángulo y en el centro ubicas la foto o el objeto personal. Pones el vaso con agua de Luna encima de la foto y le echas la turmalina adentro. Luego enciendes las velas y repites el siguiente conjuro: "enciendo esta vela para lograr mi restablecimiento, invocando mis fuegos internos y a las salamandras y ondinas protectoras, para trasmutar este dolor y malestar en energía sanadora de salud y bienestar. Repite esto oración 3 veces. Cuando termines la oración coges el vaso, sacas la turmalina y botas el agua a un desagüe de la casa, apaga las velas con tus dedos y guárdelas para repetir este hechizo hasta que te recuperes totalmente. La turmalina la puedes utilizar de amuleto para la salud.

Hechizo para mejorar Inmediatamente

Debes conseguir una vela blanca, una verde y otra amarilla. Las consagrarás (de la base hacia la mecha) con esencia de pino y las colocarás encima de una mesa con un mantel azul clarito, en forma de triángulo. En el centro, pondrás un pequeño recipiente de cristal con alcohol y una pequeña amatista. En la base del recipiente un papel con el

nombre de la persona enferma o foto con su nombre completo atrás y fecha de nacimiento. Enciendes las tres velas y las dejas prendidas hasta que se consuman totalmente. Mientras realizas este ritual visualiza a la persona completamente sana.

Rituales para el Mes de Agosto

Agosto 2024

Domingo	Lunes	Martes	Miércoles	Jueves	Viernes	Sábado
				1	2	3
4 Luna Nueva	5	6	7	8	9	10
11	12	13	14	15	16	17
18 Luna Llena	19	20	21	22	23	24
25	26	27	28	29	30	31

Agosto 4, 2024 Luna Nueva Leo 12°33'

Agosto 18, 2024 Luna Llena Acuario 27°14'

Mejores rituales para el dinero
4,5 de agosto 2024

Espejo mágico para el Dinero. Luna Llena

Consigue un espejo de 40 a 50 cm de diámetro y píntale el marco de negro. Lavas el espejo con agua sagrada y cúbrelo con un paño negro.

En la primera noche de Luna Llena exponlo a los rayos de la Luna de forma que puedas ver el disco lunar completo en el espejo. Pídele a la luna que consagre este espejo para que ilumine tus deseos.

La próxima noche de Luna Llena dibuja con un creyón de labios el símbolo del dinero 7 veces ($$$$$$$).

Cierras los ojos y visualízate con toda la abundancia material que deseas. Deja los símbolos dibujados hasta la mañana siguiente.

Después limpias el espejo hasta que no existan rastros de la pintura que hayas empleado, utilizando agua sagrada. Guarda de nuevo tu espejo en un lugar que nadie lo toque.

Deberás recargar la energía del espejo tres veces al año con Lunas Llenas para poder repetir el hechizo.

Si haces esto en una hora planetaria que tenga que ver con la prosperidad le estarás agregando una super energía a tu intención.

Ritual para Acelerar las Ventas. Luna Nueva

Esta es una receta eficaz para la protección del dinero, la multiplicación de las ventas en tu negocio y la sanación energética del lugar.

Necesitas:

-1 vela verde
-1 moneda
- sal marina
-1 pizca de pimienta picante

Debes realizar este ritual un jueves o Domingo a la hora del planeta Júpiter o del Sol.

No debe haber más personas en el local del negocio.

Enciende la vela y a su alrededor, en forma de triángulo, coloca la moneda, un puñado de sal y la pizca de pimienta picante.

Es primordial que ubiques a la derecha la pimienta y a la izquierda el puñado de sal. La moneda debe estar en la punta superior de la pirámide.

Quédate durante unos minutos delante de la vela y visualiza todo lo que estas deseando referente a prosperidad.

Los restos puedes botarlos, la moneda la conservas en tu lugar de negocio como protección.

Mejores rituales para el Amor
Cualquier viernes, día de Venus.

Mejores rituales para el Amor

7,14, 21,28, 31 de Julio.

Hechizo para Hacer que Alguien Piense en Ti

Consigue un espejito del que utilizamos las mujeres para maquillarnos y colocas una fotografía tuya detrás del espejo.

Después coges una fotografía de la persona que quieres que pienses en ti y la colocas boca abajo frente al espejo (de forma que las dos fotos queden mirándose con el espejo entre ellas).

Envuelves el espejo con un pedazo de tela roja y lo atas con un hilo rojo de forma que queden seguros y que las fotografías no puedan moverse.

Esto debes colocarlo debajo de tu cama bien escondido.

Hechizo para Transformarte en Imán

Para tener un aura magnética y atraer las mujeres o los hombres debes confeccionar una bolsita amarilla que contenga el corazón de una paloma blanca y los ojos de una jicotea en polvo.

Esta bolsita debes portarla en tu bolsillo derecho si eres hombre.

Las mujeres usaran esta misma bolsita, pero dentro del sostenedor (brasier) en la parte izquierda.

Mejores rituales para la Salud

23 de agosto, el Sol entra en Virgo.

Baño Ritual con Hierbas Amargas

Este ritual se utiliza cuando la persona ha sido hechizada tan poderosamente que su vida está en peligro.

Elementos Necesarios:
- *7 Hojas de Mirto*
- *Jugo de granada*
- *Leche de cabra*
- *Sal de mar*
- *Agua sagrada*
- *Cascarilla*
- *8 Hojas de la planta rompe muralla*

Debes echar la leche de cabra en un envase grande, le agregas el jugo de granada, agua sagrada, las plantas, la sal de mar y la cascarilla.

Dejas por tres horas este preparado delante de una vela blanca y después te lo echas sobre la cabeza. Debes dormir así y al otro día enjuagarte.

Rituales para el Mes de Septiembre

Septiembre 2024

Domingo	Lunes	Martes	Miércoles	Jueves	Viernes	Sábado
1	2	3 Luna Nueva	4	5	6	7
8	9	10	11	12	13	14
15	16	17 Luna Llena	18	19	20	21
22	23	24	25	26	27	28
29	30					

Septiembre 3, 2024 Luna Nueva Virgo 11°03'

Septiembre 17, 2024 Luna Llena y Eclipse Parcial Piscis 25°40'

Mejores rituales para el dinero

3,13,20 de septiembre 2024

Ritual para Obtener Dinero en Tres Días.

Consigue cinco ramas de canela, una cáscara seca de naranja, un litro de agua de Luna Llena y una vela plateada. Hierve la canela y la cascara de naranja en el agua de Luna. Cuando se enfríe colócala en un pomo atomizador. Enciende la vela en la parte norte de la sala de tu casa y rocía todas las habitaciones con el líquido. Mientras lo haces repites en tu mente: "Guías Espirituales protejan mi hogar y permitan que yo reciba el dinero que necesito inmediatamente".

Cuando termines, dejas encendida la vela.

Dinero con un Elefante Blanco

Compra un elefante blanco con la trompa hacia arriba.

Colócalo dirigido al interior de tu casa o negocio, nunca de frente a las puertas.

El primer día de cada mes, coloca un billete del valor más bajo en la trompa del elefante, doblado en dos a lo largo y repite: "Que esto se duplique por 100"; después lo vuelves a doblar a lo ancho y repite: "Que esto se me multiplique por mil".

Despliega el billete y déjalo en la trompa del elefante hasta el siguiente mes.

Repite el ritual, cambiando de billete.

Ritual para Ganar la Lotería.

Necesitas:
- 2 velas verdes
- 12 monedas. (representan los doce meses del año)
- 1 mandarina
- Canela en rama
- Pétalos de 2 rosas rojas
-1 frasco de cristal de boca ancha y con tapa
-1 billete de lotería viejo
- Agua de Luna Llena

En el frasco colocarás la mandarina, a su alrededor el billete de lotería, las monedas, los pétalos y la canela, lo cubres con el agua de Luna y lo tapas. Sobre la tapa del frasco colocas la vela y la enciendes. Al día siguiente reemplazarás la vela por una nueva y al tercer día destaparás el recipiente, botas todo excepto las monedas, que te servirán de amuleto. Guarda una en tu cartera y las otras once las dejas en tu casa. Al finalizar el año debes gastar las monedas.

Mejores rituales para el Amor
Cualquier viernes de septiembre 2024

Ritual para Eliminar las Discusiones

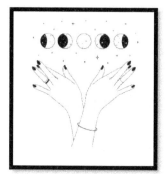

Debes escribir en un papel los nombres completos tuyo y de tu pareja. Lo colocas debajo de una pirámide de cuarzo rosado y repites en tu mente: "Yo (tu nombre) estoy en paz y armonía con mi pareja (nombre de tu pareja), el amor nos envuelve ahora y siempre".

Esta pirámide con los nombres la debes mantener en la zona del amor en tu hogar. La esquina del fondo a la derecha desde la puerta de entrada es la zona de las parejas, del amor, matrimonio o relaciones.

Ritual para ser Correspondido en el Amor

Por un periodo de cinco días y a la misma hora debes de hacer una pirámide en el suelo con pétalos de rosas rojas. En una vela verde escribes el nombre de la persona que quieres que te corresponda en el amor, la enciendes y la colocas en el centro de la pirámide, encima del pentáculo #3 de Venus.

Te sientas enfrente de esta pirámide y repites mentalmente: "Invoco todas las fuerzas elementales del universo para que (nombre de la persona) corresponda a mi amor". Pasado este tiempo puedes botar los restos de las velas en la basura y el pentáculo debes quemarlo.

Pentáculo # 3 Venus.

Mejores rituales para la Salud

Cualquier día de septiembre. Preferiblemente lunes y viernes.

Baño Curativo

Elementos necesarios:

- *Berenjena*
- *Salvia*
- *Ruda*
- *Aguardiente*
- *Cascarilla*
- *Agua Florida*
- *Agua de Lluvia*
- *Vela Verde (si es en forma piramidal más efectiva)*

Este baño es más efectivo si lo realizas un domingo a la hora del Sol o Júpiter. Cortas la berenjena en pedazos chiquitos y la colocas en una cazuela grande.

Después hierves la salvia y la ruda en el agua de lluvia. Cuelas el líquido sobre los pedazos de berenjena, añades el Aguaflorida, el aguardiente, la cascarilla y enciendes la vela. Viertes la mezcla dentro del agua para tu baño. Si no tienes bañera te lo echas arriba y te secas con el aire, es decir no utilizas la toalla.

Baño de Protección antes de una Operación Quirúrgica

Elementos necesarios:

- Campana Morada
- Agua de Coco
- Cascarilla
- Colonia 1800
- Siempre Viva
- Hojas de Menta
- Hojas de Ruda
- Hojas de Romero

- Vela Blanca
- Aceite de Lavanda

Este baño es más efectivo si lo realizas un jueves a la hora de la Luna o Marte.

Hierves todas las plantas en el agua de coco, cuando se enfríe lo cuelas y le agregas la cascarilla, colonia, el aceite de lavanda y enciendes la vela en la parte oeste de tu cuarto de baño.

Viertes la mezcla en el agua del baño. Sino tienes bañera te lo echas encima y no te secas.

Rituales para el Mes de Octubre

Octubre 2024

Domingo	Lunes	Martes	Miércoles	Jueves	Viernes	Sábado
		1	2 Luna Nueva	3	4	5
6	7	8	9	10	11	12
13	14	15	16 Luna Llena	17	18	19
20	21	22	23	24	25	26
27	28	29	30	31		

Octubre 2, 2024 Eclipse Anular de Sol en Libra y Luna Nueva 10°02'

Octubre 16, 2024 Luna Llena Aries 24°34'

Mejores rituales para el dinero
2, 17,31 de octubre 2024.

Hechizo con *Azúcar y Agua de Mar para Prosperidad.*

Necesitas:
- *Agua de Mar*
- *3 cucharadas de azúcar*
- *1 Copa azul de cristal*

Llena la copa con agua de mar y el azúcar, déjala a la intemperie la primera noche de Luna Llena y la retiras del sereno a las 6:00 am.

Después abres las puertas de tu casa y comienzas a regar el agua azucarada desde la entrada hacia el fondo, utiliza una botella atomizador, mientras lo haces debes repetir en tu mente: "Atraigo a mi vida toda la prosperidad y la riqueza que el universo sabe que merezco, gracias, gracias, gracias".

La Canela

Se utiliza para purificar el cuerpo. En ciertas culturas se cree que su poder consiste en ayudar a la inmortalidad. Desde el punto de vista mágico, la canela está vinculada al poder de la Luna por su tendencia femenina.

Ritual para Atraer Dinero Instantáneamente.

Necesitas:
- 5 ramas de canela
- 1 cáscara seca de naranja
- 1 litro de agua sagrada
- 1 vela verde

Coloca la canela, la cáscara de naranja y el litro de agua a hervir, después deja la mezcla reposar hasta que se enfríe. Vierte el líquido en un rociador (aerosol).

Enciende la vela en la parte norte de la sala de tu casa y rocía todas las habitaciones mientras repites: "Ángel de la Abundancia invoco tu presencia en esta casa para que no falte nada y siempre tengamos más de lo que necesitamos".

Cuando termines da las gracias tres veces y deja encendida la vela.

Puedes realizarlo un domingo o jueves a las horas del planeta Venus o Júpiter.

Mejores rituales para el Amor
Cualquier día de octubre 2024.

Hechizo Para Olvidar un Antiguo Amor

Necesitas:
- 3 velas amarillas en forma de pirámide
- Sal marina
- Vinagre blanco
- Aceite de oliva
- Papel amarillo

- 1 bolsita negra

Este ritual es más efectivo si lo realizas en la fase de la Luna Menguante.

Escribirás en el centro del papel el nombre de la persona que deseas se aleje de tu vida con el aceite de oliva.

Después colocas encima del mismo las velas en forma de pirámide.

Mientras realizas esta operación repite en tu mente: "Mi ángel de la guarda cuida mi vida, ese es mi deseo y se hará realidad".

Cuando las velas se consuman envolverás todos los restos en el mismo papel y lo rociarás con el vinagre.

Después lo colocas en la bolsita negra y lo botas en un lugar alejado de tu casa, preferiblemente que haya árboles.

Hechizo para Atraer tu Alma Gemela

Necesitas:
- *Hojas de romero*
- *Hojas de perejil*
- *Hojas de albahaca*
- *Recipiente de metal*
- *1 vela roja en forma de corazón*
- *Aceite esencial de canela*
- *1 corazón dibujado en un papel rojo*
- *Alcohol*
- *Aceite de lavanda*

Debes consagrar primero la vela con el aceite de canela, después la enciendes y la colocas al lado de la recipiente de metal. Mezclas en la recipiente todas las plantas. Escribes en el corazón de papel todas las características de la persona que deseas en tu vida, escribes los detalles. Échale cinco gotas del aceite de lavanda al papel y colócalo dentro de la recipiente. Rocíalo con el alcohol y préndele fuego. Todos los restos debes de esparcirlos a la orilla del mar, mientras lo haces concéntrate y pides que esa persona llegue a tu vida.

Ritual para atraer el Amor

Necesitas
- Aceite de rosas
- 1 cuarzo rosado
- 1 manzana
- 1 rosa roja en un búcaro chiquito
- 1 rosa blanca en un búcaro chiquito
- 1 cinta roja larga
- 1 vela roja

Para mayor efectividad este ritual debe ser realizado un viernes o domingo a la hora del planeta Venus o Júpiter.

Debes consagrar la vela antes de empezar el ritual con aceite de rosas. Enciendes la vela. Cortas la manzana en dos pedazos y colocas uno en el búcaro de la rosa roja y otro en el de la rosa blanca. Enlaza con la cinta roja los dos búcaros. Los dejas toda la noche junto a la vela hasta que esta se consuma. Mientras realizas esta operación repite en tu mente: "Que la persona que está destinada a hacerme feliz aparezca en mi camino, la recibo y la acepto". Cuando las rosas se sequen, junto con las mitades de las manzanas las entierras en tu patio o en una maceta con el cuarzo rosado.

Mejores rituales para el Salud
Todos los domingos de octubre 2024

Ritual para Aumentar la Vitalidad

Sumergir en un cubo de agua una pirámide de aluminio durante 24 horas. Al día siguiente después de tu baño regular, enjuágate con esta agua. Este ritual lo puedes realizar una vez por semana.

Rituales para el Mes de Noviembre

Noviembre 2024

Domingo	Lunes	Martes	Miércoles	Jueves	Viernes	Sábado
					1 Luna Nueva	2
3	4	5	6	7	8	9
10	11	12	13	14	15 Luna Llena	16
17	18	19	20	21	22	23
24	25	26	27	28	29	30 Luna Nueva

Noviembre 1, 2024 Luna Nueva Escorpión 9°34'

Noviembre 15, 2024 Luna Llena Tauro 24°00'

Noviembre 30, 2024 Luna Nueva Sagitario 9°32'

Mejores rituales para el dinero

1,15,30 de noviembre 2024

Confecciona tu Piedra para Ganar Dinero

Necesitas:

- Tierra

- Agua Sagrada

- 7 monedas de cualquier denominación

- 7 piedras piritas

- 1 vela verde

- 1 cucharadita de canela

- 1 cucharadita de sal de mar

- 1 cucharadita de azúcar morena

- 1 cucharadita de arroz

Debes realizar este ritual bajo la luz de la Luna llena, es decir al aire libre.

Dentro de un recipiente echas el agua con la tierra de forma que se convierta en una masa espesa. Agrégale a la mezcla las cucharaditas de sal, azúcar, arroz y canela, y colocas en diferentes lugares, en medio de la masa, las 7 monedas y las 7 piritas. Mezcla de forma uniforme esta mezcla, allánala con una cuchara. Deja el recipiente bajo la luz de la Luna Llena toda la noche, y parte del siguiente día al Sol para que se seque. Una vez seca, llévala adentro de tu casa y colócale encima la vela verde encendida. No limpies esta piedra de los restos de cera. Ubícala en tu cocina, lo más cercana a una ventana.

Mejores rituales   para el Amor
Todos los viernes y Lunes de Noviembre.

Espejo Mágico del Amor

Consigue un espejo de 40 a 50 cm de diámetro y píntale el marco de negro. Lavas el espejo con agua sagrada y cúbrelo con un paño negro. En la primera noche de Luna Llena lo dejas expuesto a sus rayos de forma que puedas ver el disco lunar completo en el espejo.

Pídele a la Luna que consagre este espejo para que ilumine tus deseos.

La próxima noche de Luna Llena escribes con un creyón de labios todo lo que deseas referente al amor. Especifica como quieres que sea tu pareja en todos los sentidos. Cierras los ojos y visualízate feliz y con ella. Dejas las palabras escritas hasta la mañana siguiente.

Después limpias el espejo hasta que no existan rastros de la pintura que hayas empleado, utilizando agua sagrada. Guardas de nuevo tu espejo en un lugar que nadie lo toque.

Deberás recargar el espejo tres veces al año con la energía de las Lunas Llenas para poder repetir este hechizo. Si haces esto en una hora planetaria que tenga que ver con el amor le estarás agregando un super poder a tu intención.

Hechizo para Aumentar la Pasión

Necesitas:
- *1 hoja de papel verde*
- *1 manzana verde*
- *Hilo rojo*
- *1 cuchillo*

Este ritual tiene que ser realizado un viernes a la hora del planeta Venus.

Escribes en la hoja de papel verde el nombre de tu pareja y el tuyo, y dibujas un corazón a su alrededor.

Cortas la manzana a la mitad con el cuchillo y colocas el papel entre ambas mitades.

Después amarras las mitades con el hilo rojo y haces 5 nudos.

Le vas a dar un mordisco a la manzana y tragar ese pedazo.

A medianoche vas a enterrar los restos de la manzana lo más cerca posible de la casa de tu pareja, si viven juntos la entierras en tu jardín.

Mejores rituales para la Salud
Todos los jueves de noviembre 2024

Ritual para Eliminar un dolor

Debes acostarte boca arriba con la cabeza hacia el Norte y colocar una pirámide de color amarillo en el bajo vientre por 10 minutos, así las dolencias desaparecerán.

Ritual para Relajarse

Debes coger una pirámide de color violeta en las manos y luego acostarte boca arriba con los ojos cerrados, mantén tu mente en blanco y respira suavemente. En ese momento sentirás que tus brazos, piernas y tórax se adormecen.

Después los sentirás más pesados, esto significa que estás totalmente relajado, este ritual genera paz y armonía.

Ritual para Tener una Vejez Saludable

Debes coger un huevo grande y pintarlo de dorado.

Cuando se seque la pintura lo colocas dentro de un círculo que harás con 7 velas (1 de color rojo, 1 de color amarillo, 1 de color verde, 1 de color rosa, 1 de color azul, 1 de color de morado, 1 de color blanco). Te sientas enfrente del círculo con la cabeza cubierta por un pañuelo blanco y enciendes las velas en sentido de las manecillas del reloj. Repites las siguientes afirmaciones mientras las enciendes:

Me estoy convirtiendo en la mejor versión de mí mismo.

Mis posibilidades son infinitas.

Tengo la libertad y el poder de crear la vida que deseo.

Elijo ser amable conmigo mismo y amarme incondicionalmente.

Hago lo que puedo, y eso es suficiente.

Cada día es una oportunidad para empezar de nuevo.

Dondequiera que esté en mi viaje es donde debo estar.

Deja que las velas se consuman.

Después enterrarás el huevo adentro de una maceta de barro y lo rellenarás con arena de playa, lo dejarás expuesto a la luz del Sol y la Luna por tres días y tres noches consecutivas.

Esta maceta la tendrás por tres años dentro de tu casa, al cabo de ese tiempo desentierras el huevo, rompes la cáscara y lo que te encuentres adentro lo dejarás en tu casa como amuleto protector.

Hechizo para Curar Enfermos de Gravedad

Debes colocar en un recipiente de metal el diagnóstico del doctor y una foto actual de la persona. A los lados de este colocas dos velas verdes y las enciendes.

Quema el contenido del recipiente y mientras se quema añade los cabellos de la persona.

Cuando solo haya cenizas colócalas en un sobre verde, el enfermo debe dormir con este sobre debajo de su almohada por 17 días.

Rituales para el Mes de Diciembre

Diciembre 2024

Domingo	Lunes	Martes	Miércoles	Jueves	Viernes	Sábado
1	2	3	4	5	6	7
8	9	10	11	12	13	14 ◯ Luna Llena
15	16	17	18	19	20	21
22	23	24	25	26	27	28
29	30 Luna Nueva	31				

Diciembre 15, 2024 Luna Llena Géminis 23°52'

Diciembre 30, 2024 Luna Nueva Capricornio 9°43'

Mejores rituales para el dinero

14,20,30, de diciembre 2024

Ritual Hindú para Atraer Dinero.

Los días perfectos para este ritual son el jueves o domingo, a la hora del planeta Venus, Júpiter o el Sol.
Necesitas:
- *Aceite esencial de ruda o albahaca*
- *1 moneda dorada*
- *1 monedero o carterita nueva*
- *1 espiga de trigo*
- *5 piritas*

Debes consagrar la moneda dorada untándole el aceite de albahaca o ruda y dedicándosela a Júpiter. Mientras la estás ungiendo repite mentalmente:

"Quiero que satures con tu energía esta moneda para que llegue la abundancia económica a mi vida".

Después le pones aceite a la espiga de trigo y se la ofreces a Júpiter pidiéndole que no falte la comida en tu hogar. Coges la moneda junto con las cinco piritas y la colocas en la carterita nueva, la misma debes enterrarla en la parte izquierda delantera de tu casa. La espiga la mantendrás en la cocina de tu casa.

Dinero y Abundancia para todos los Miembros de la Familia.

Necesitas:
- 4 recipientes de barro
- 4 pentáculos #7 de Júpiter (puedes imprimirlos)

Pentáculo #7 de Júpiter.

- *Miel*
- *4 citrinas*

Un viernes a la hora del planeta Júpiter escribes los nombres de todas las personas que viven en tu hogar en la parte de atrás del séptimo pentáculo de Júpiter.

Después colocas cada papelito en las recipientes de barro junto con las citrinas y le echas miel. Colocas las vasijas en los cuatro puntos cardinales de tu hogar. Déjalas ahí por un mes. Al cabo de este tiempo botas la miel y los pentáculos, pero conservas las citrinas en la sala de tu casa.

Mejores rituales por días para el Amor
Viernes y domingo diciembre 2024

Ritual para Convertir una Amistad en Amor

Este ritual es más poderoso si lo realizas un martes a la hora de Venus.

Necesitas:

- 1 Foto de la persona que amas de cuerpo entero
- 1 espejo chiquito
- 7 cabellos tuyos
- 7 gotas de tu sangre
- 1 vela roja en forma de pirámide
- 1 bolsita dorada

Derramas sobre el espejo las gotas de tu sangre, colocas los cabellos arriba y esperas a que se seque. Pones la fotografía arriba del espejo (cuando la sangre esté seca).

Enciendes la vela y la sitúas a la derecha del espejo, te concentras y repites:

"Estamos unidos para siempre por el poder de mi sangre y el poder de (nombre de la persona que amas) el amor que siento por ti. La amistad termina, pero comienza el amor eterno".

Cuando la vela se consuma debes colocarlo todo dentro de la bolsa dorada y botarlo en el mar.

Hechizo Germánico de Amor

Este hechizo es más efectivo si lo realizas en la fase de Luna Llena a las 11:59 pm de la noche.

Necesitas:
- 1 fotografía de la persona que amas
- 1 fotografía tuya
- 1 Corazón de paloma blanca
- 13 pétalos de girasol
- 3 alfileres
- 1 vela rosada
- 1 vela azul
- 1 aguja de coser nueva
- Azúcar morena
- Canela en polvo
- 1 tabla

Colocas las fotografías encima de la tabla, arriba le pones el corazón y le clavas los tres alfileres. Las rodeas con los pétalos de girasol y colocas la vela rosada a la izquierda y la vela azul a la derecha y las enciendes en ese mismo orden.

Te pinchas tu dedo índice de la mano izquierda y dejas caer tres gotas de sangre encima del corazón. Mientras está cayendo la sangre repites tres veces: "Por el poder de la sangre tú (nombre de la persona) me perteneces".

Cuando las velas se consuman entierras todo y antes de cerrar el hoyo le pones canela en polvo y azúcar morena.

Hechizo de la Venganza

Necesitas:
- 1 piedra de rio
- Pimienta roja
- Fotografía de la persona que te robó tu amor
- 1 maceta
- Tierra de cementerio
- 1 vela negra

Debes escribir por detrás de la foto el siguiente conjuro: "Por el poder de la venganza te prometo que me pagarás y no volverás a hacer daño a nadie, quedas cancelado

(nombre de la persona)".

Después colocas la foto de la persona en el fondo de la maceta y le pones la piedra encima, le echas la tierra de cementerio y la pimienta roja, en este orden.

Enciendes la vela negra y repites el mismo conjuro que escribiste detrás de la foto. Cuando la vela se consuma bótala en la basura y la maceta la dejas en un lugar que sea un monte.

Mejores rituales para la Salud

Cualquier jueves de diciembre 2024

Parrilla Cristalina para la Salud

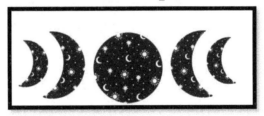

El primer paso es decidir qué objetivo buscas que se manifieste. Escribirás en un pedazo de papel tus deseos en referencia a tu salud, siempre en presente, no deben contener la palabra **NO.** Un ejemplo sería "Tengo una salud perfecta"

Elementos Necesarios.
    - *1 Cuarzo amatista grande (el foco)*

- *4 Larimar*
- *4 cuarzos cornalina chiquitos*
- *6 cuarzos ojo de tigre*
- *4 citrinas*
- *1 Figura geométrica de la Flor de la vida*
- *1 Punta de cuarzo blanco activar la rejilla*

Flor de la Vida.

Estos cuarzos debes limpiarlos antes del ritual para purificar tus piedras de las energías que pudieran haber absorbido antes de llegar a tus manos, la sal marina es la mejor opción. Déjalas con sal marina durante toda la noche. Al sacarlos puedes también encender un palo santo y ahumarlos para potenciar el proceso de purificación.

Los patrones geométricos nos ayudan a visualizar mejor como las energías se conectan entre los nodos; los nodos son los puntos decisivos en la geometría, son las posiciones estratégicas donde colocarás los *cristales, de manera que sus energías interactúen entre si creando corrientes energéticas de altas vibraciones, (como si fuera un circuito) las cuales podemos desviar hacia nuestra intención.*

Vas a buscar un lugar tranquilo ya que cuando trabajamos con tramas cristalinas estamos trabajando con energías universales.

Vas a tomar una por una las piedras y las vas a colocar en tu mano izquierda, la cual tendrás en forma de cuenco, la tapas con la derecha y en voz alta repite los nombres de los símbolos de reiki: Cho Ku Rei, Sei He Ki, Hon Sha Ze Sho Nen y Dai Ko Mio, tres veces consecutivas cada uno.
Esto lo harás para darle energía a tus piedras.

Doblas tu papelito y lo colocas en el centro de la red. Le ubicas el cuarzo amatista grande arriba, esta piedra del centro es el foco, las otras las sitúas como está en el *ejemplo.

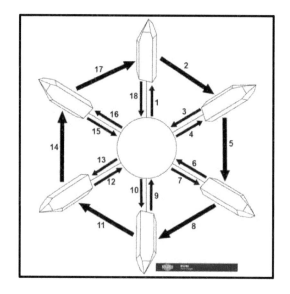

Las vas a conectar con la punta de cuarzo, empezando por el foco en forma circular a favor de las manecillas del reloj.

Cuando hayas configurado la parrilla déjala en un área donde nadie la pueda tocar. Cada varios días debes volverla a conectar, es decir activarla con la punta de cuarzo, visualizando en tu mente lo que escribiste en el papel.

La Luna en Leo

Si tu Luna está en Leo expresas tus emociones con pasión e intensidad, además amas ser el centro de atención y darles un toque dramático a tus sentimientos.

Idealmente, quieres ser apreciado, pero con la Luna en Leo cualquier atención es mejor que ninguna. Si presientes que te ignoran, te sentirás amenazado, y cuando esto sucede, tus instintos te impulsan a que finjas.

En otras palabras, mientras que seas el centro de atención serás feliz y te sentirás seguro.

En un mundo perfecto todo en enfocaría en tu persona, pero como el mundo no es perfecto, tú no eres el centro de atención.

Con la Luna en Leo tu reto no es descubrir tus necesidades de seguridad, sino asegurarte de que los elementos que están en tu lista de prioridades sean los apropiados.

Debes analizar cada relación, y determinar cuándo es apropiado que tu seas el centro de atención. Debes estar pendiente de tus reacciones.

Perfila tu ser interno para que otros te aprecien por lo que eres.

Las personas con la Luna en Leo son cálidas y generosas con sus familiares, empáticos y leales. Son proclives a tener una naturaleza emocional celosa, aunque no son posesivos. Necesitan una pareja a quien puedan impresionar. Esas energías provocan que sea difícil relacionarse emocionalmente.

Sus sentimientos se lesionan cuando sienten que son ignorados.

Instintivamente sienten emociones fuertes, son dramáticos y creativos. La Luna en Leo se asocia con los niños, por eso disfrutan del juego, y la diversión. Pasar tiempo con niños los ayuda a expandir su creatividad y diversión.

Las personas con la Luna en Leo tienen cualidades de liderazgo que inspiran. Ellos alientan a las personas a comprometerse con los resultados, mientras que al mismo tiempo disfrutan del viaje.

La importancia del Signo Ascendente

El signo solar tiene un impacto importante en quiénes somos, pero el Ascendente es el que nos define realmente, e incluso esa podría ser la razón por qué no te identificas con algunos rasgos de tu signo zodiacal.

Realmente la energía que te brinda tu signo solar hace que te sientas diferente al resto de las personas, por ese motivo, cuando lees tu horóscopo algunas veces te sientes identificado y les da sentido a algunas predicciones, y eso sucede porque te ayuda a entender cómo podrías sentirte y lo que te sucederá, pero solo te muestra un porciento de lo que realmente pudiera ser.

El Ascendente por su parte se diferencia del signo solar porque refleja quiénes somos superficialmente, es decir, cómo te ven los demás o la energía que les transmites a las personas, y esto es tan real que puede darse el caso que conozcas a alguien y si predices su signo es posible que hayas descubierto su signo Ascendente y no su signo solar.

En síntesis, las características que ves en alguien cuando lo conoces por vez primera es el Ascendente, pero como nuestras vidas se ven afectadas por la manera que nos relacionamos con los demás, el Ascendente tiene un impacto importante en nuestra vida cotidiana.

Es un poco complejo explicar cómo se calcula o determina el signo Ascendente, porque no es la posición de un planeta el que lo determina, sino el signo que se elevaba en el horizonte oriental en el momento de tu nacimiento, a diferencia de tu signo solar, depende de la hora precisa en que naciste.

Gracias a la tecnología y al Universo hoy es más fácil que nunca saber esta información, por supuesto si conoces tu hora de nacimiento, o si tienes una idea de la hora pero que no haya un margen de más de horas, porque hay muchos websites que te hacen el cálculo introduciendo los datos, astro.com es uno de ellos, pero por existen infinidades.

De esta manera, cuando leas tu horóscopo también puedes leer tu Ascendente y conocer detalles más personalizados, tú vas a ver que a partir de ahora si haces esto tu forma de leer el horóscopo cambiará y sabrás porque ese Sagitario es tan modesto y pesimista si en realidad ellos son tan exagerados y optimistas, y esto se deba quizás porque tiene un Ascendente Capricornio, o porque ese colega de Escorpión siempre está hablando de todo, no dudes que tenga un Ascendente de Géminis.

Les voy a sintetizar las características de los diferentes Ascendentes, pero esto es también muy general ya que estas características son modificadas por planetas en conjunción con el Ascendente, planetas que aspectan al Ascendente, y la posición del planeta regente del signo en el Ascendente.

Por ejemplo, una persona con un Ascendente de Aries con su planeta regente, Marte, en Sagitario responderá al entorno de forma un poco diferente a otra persona, también con un Ascendente de Aries, pero cuyo Marte está en Escorpión.

Del mismo modo, una persona con un Ascendente de Piscis que tiene Saturno en conjunción con él se "comportará" de manera diferente a alguien con un Ascendente de Piscis que no tiene ese aspecto.

Todos estos factores modifican el Ascendente, la astrología es muy compleja y no se lee ni se hacen horóscopos con cartas del tarot, porque la astrología además de ser un arte es una ciencia.

Puede ser habitual confundir estas dos prácticas y esto es debido a que, aunque se trata de dos conceptos totalmente diferentes, presentan unos puntos en común. Uno de estos puntos en común se basa en su origen, y es que ambos procedimientos son conocidos desde la antigüedad.

También se parecen en los símbolos que utilizan, ya que ambos presentan símbolos ambiguos que es necesario interpretar, por lo que requiere de una lectura especializada y es necesario tener una formación para saber interpretar estos símbolos.

Diferencias, hay miles, pero una de las principales es que mientras que en el tarot los símbolos son perfectamente comprensibles a primera vista, al tratarse de cartas figurativas, aunque haya que saber interpretarlos bien, en la astrología observamos un sistema abstracto el cual es necesario conocer previamente para interpretarlos, y por supuesto hay que decir, que, aunque podamos reconocer las cartas del tarot, cualquiera no puede interpretarlos de modo correcto.

La interpretación es también una diferencia entre las dos disciplinas porque mientras el tarot no tiene una referencia temporal exacta, ya que las cartas se sitúan en el tiempo solo gracias a las preguntas que se realizan en la tirada correspondiente, en la astrología sí que se hace referencia a una posición específica de los planetas en la historia, y los sistemas de interpretación que utilizan ambos son diametralmente opuestos.

La carta astral es la base de la astrología, y el aspecto más importante para realizar la predicción. La carta astral debe estar perfectamente elaborada para que la lectura tenga éxito y se puedan conocer más cosas acerca de la persona.

Para elaborar una carta astral, es necesario conocer todos los datos sobre el nacimiento de la persona en cuestión.

Es preciso que se sepa con exactitud, desde la hora exacta en que se dio a luz, hasta el lugar donde se hizo.

La posición de los planetas en el momento del nacimiento desvelará al astrólogo los puntos que necesita para elaborar la carta astral.

La astrología no se trata solamente de conocer tu futuro, sino de conocer los puntos importantes de tu existencia, tanto del presente como del pasado, para poder tomar mejores decisiones para decidir tu futuro.

La astrología te ayudará a conocerte mejor a ti mismo, de modo que podrás cambiar las cosas que te bloquean o potenciar tu cualidades.

Y si la carta astral es la base de la astrología, la tirada del tarot es fundamental en esta última disciplina. Igual que quien te realiza la carta astral, el vidente que te realice la tirada del tarot, será la clave en el éxito de tu lectura, por eso lo más indicado es que preguntes por tarotistas recomendadas, y aunque seguramente no te podrá responder concretamente a todas las dudas que te plantees en tu vida, una correcta lectura de la tirada del tarot, y las cartas que salgan en dicha tirada, te ayudarán a guiarte acerca de las decisiones que tomes en tu vida.

En resumen, la Astrología y el tarot utilizan simbología, pero la cuestión primordial es como se interpreta toda esta simbología.

verdaderamente una persona que domine ambas técnicas, sin duda, va a ser una gran ayuda a las personas que le van a pedir consejo.

Muchos astrólogos combinamos ambas disciplinas, y la práctica habitual me ha enseñado que ambas suelen fluir muy bien, aportando un componente enriquecedor en todos los temas de predicción, pero no son lo mismo y no se puede hacer horóscopo con cartas del tarot, ni se puede hacer una lectura del tarot con una carta astral.

Ascendente en Leo

Las personas con el Ascendente en el signo de Leo son las más optimistas del zodiaco, saben cómo aprovechar las oportunidades que se le presentan, y son capaces de alcanzar cualquier meta que se propongan.

El Ascendente Leo tiene necesidad de mostrar su individualidad, así como expresar su creatividad.

En ocasiones, este Ascendente piensa que debe ser tratado como un rey, ya que su ego es muy grande. Ellos deben realizar un trabajo dinámico para ganarse el estatus que creen merecer, y no molestarse cuando no obtienen lo que quieren.

Su ego es fuerte y poderoso y además son teatrales y dramáticos. Estas personas deben aprender que cuando los elogios vienen de afuera, nunca será completamente feliz ni podrá alcanzar todo su potencial ya que estas circunstancias solo sirven para amplificar su ego. Las personas con Ascendente en Leo deben aprender a dominar su ego y si quieren triunfar deben enfocarse en sí mismas, y no permitir que ese lado vanidoso se apodere de ellos.

Aries – Ascendente Leo

Las personas con este Ascendente tienen mucho entusiasmo. Aries y Leo son dos signos de fuego, con mucho potencial, por eso se refuerzan el uno al otro.

Son personas con una autoestima por el cielo, que se refleja en cómo los demás los perciben. Sobresalen por su amabilidad.

En el área laboral sobresalen porque son luchadores, aunque en ocasiones pierden con facilidad sus cabales. Su personalidad egocéntrica puede interferir en su profesión porque se deja arrastrar por su orgullo y la necesidad de ser el centro de atención.

En el amor son muy sentimentales, protectores y, cuando se enamoran entregan todo su ser.

Algunas veces son tan vanidosos y arrogantes que se convierten en personas tóxicas y controladoras.

Tauro – Ascendente Leo

Tauro con Ascendente Leo vive en una búsqueda de placer constante. Esta combinación persigue el éxito, a nivel laboral y personal ferozmente. Aman tener estatus y prestigio.

En el trabajo hacen un esfuerzo activo por triunfar, y si no lo logran sufren grandes desilusiones.

Son apasionados y románticos, y les encanta cortejar, pero también ser cortejados. Si alguien les gusta, lucharán por conquistarlo.

Su punto negativo es derrochar en lujos.

Géminis – Ascendente Leo

Géminis con Ascendente Leo son personas muy comunicativas. Siempre están buscando cosas nuevas que hacer y sobresalen por su versatilidad.

Estas personas aman compartir e intercambiar ideas, por eso suelen escuchar y valorar todos los argumentos.

En el área profesional se interesan por diferentes ramas, y pueden triunfar en cualquiera. El problema es la dificultad que tienen para concentrarse.

En el amor, son personas seductoras y no tienen dificultad para hacer amigos. Cuando se enamoran luchan por estar con esa persona por todos los medios, y se comprometen hasta el final.

Algo negativo de estas personas es que les puede resultar fácil dejarse llevar por su ego, llegando a menospreciar las opiniones de los demás y tratando de manipular sus pensamientos.

Cáncer – Ascendente Leo

Las personas con este Ascendente son cariñosas y familiares. Poseen mucha empatía y comprensión siendo capaces de ayudar a los necesitados genuinamente.

Son idealistas y ambiciosos, por eso planifican muchos proyectos con optimismo y triunfan.

En el amor son personas intensas y cuando aman a alguien son fieles.

Esta combinación es un poco teatral y sentimental lo que hace que magnifiquen sus emociones y conviertan en tragedia hasta lo más mínimo.

Leo – Ascendente Leo

Leo con Ascendente Leo son personas de mucha vitalidad, seguras y que hechizan a todo aquel con el que tropiecen. Son lideres por excelencia.

En el trabajo están motivados por eso les gusta que se le reconozca públicamente, lo que los motiva a desarrollar habilidades valiosas

Son optimistas y seguras de sí mismos. Tienen la capacidad de afrontar cualquier desafío.

En la esfera sentimental son muy cariñosos y protectores. Ansían que se les reconozca y valore dentro de la relación. En ocasiones buscan más alguien que los admire a una persona que esté en su misma posición.

Leo con Ascendente Leo son autoritarios y egocéntricos, sobre todo, si tienen posiciones de poder.

Virgo – Ascendente Leo

Estas personas por lo general son poco ahorradoras, aunque no se dejan seducir por completo por los excesos. Poseen grandes ambiciones y son muy responsables con todo lo que hacen.

Laboralmente esta combinación tiene muchos recursos y sobresale por sus habilidades intelectuales. Son perfeccionistas y detestan el fracaso.

En el amor no son tan exigentes en sus relaciones, pero si les gusta una persona se desviven por conquistarlo.

Libra – Ascendente Leo

Libra con Ascendente Leo son sociables por naturaleza, accesibles con todo el mundo, lo que les permite comenzar relaciones con mucha facilidad.

Esta es una de las combinaciones que tiene equilibrio. Estas personas tienden a interesarse por el aprendizaje de materias intelectuales desde temprano en su vida.

En el área sentimental son seguros y decididos, muy apasionados y con dotes sociales.

Escorpio – Ascendente Leo

Esta combinación es de personas que se preocupan por el bienestar de sus seres queridos.

En lo laboral tienen energías y fuerzas para invertir en su trabajo. Normalmente son personas ambiciosas que buscan siempre desafíos e ideas novedosas que aplicar. Luchan hasta el final por conseguir todo lo que se propongan.

Son conquistadores, y nada los puede detener una vez que se les mete alguien o algo en la cabeza. Se dedican totalmente a su pareja y necesitan una vida con sexo y amor intensa para poder estar cómodos en su relación.

En ocasiones son dictatoriales, y no suelen escuchar las opiniones de los demás, ni tampoco consejos.

Estas personas se obsesionan y pueden destrozar parte de su vida, trabajo, y amistades.

Sagitario – Ascendente Leo

Sagitario con Ascendente Leo son personas bondadosas y con autoestima. Son cariñosos y amables, les encanta ver felices a los demás. Ofrecen su protección a todo su círculo cercano y tratan de complacer porque les nace del corazón.

Se desviven por encontrar su verdadera vocación. Son buenos comunicadores y sobresalen por sus múltiples talentos.

Estas personas son muy emocionales, les encanta amar y ser amados.

En ocasiones estas personas son vanidosas, pecan de narcisistas y se pierden en los placeres de la vida.

Capricornio – Ascendente Leo

Capricornio con Ascendente Leo son personas responsables, saben cómo gestionar la vida y todo lo que los rodea. Poseen una gran fuerza de voluntad.

En lo laboral, transmiten convicción a aquellos que los rodean, cuando tienen una meta la suelen alcanzar. Poseen dotes sociales y habilidad para los detalles. Si utilizan sus recursos correctamente pueden alcanzar una posición profesional reconocida.

En el amor son carismáticos, les gusta ser los jefes en sus relaciones llegando a ser autoritarios, pero saben reconocer que es o no razonable.

Algunas veces pueden llegar a ser demasiado crítico y sino enfocan sus cualidades pueden sembrar el caos.

Acuario – Ascendente Leo

Acuario con Ascendente Leo son personas que tienen ideales férreos y les encanta transmitirlos. Son personas que saben cómo imponerse y hacen que los demás escuchen sus opiniones con respeto y admiración.

En el trabajo les gusta sobresalir y ocupar puestos importantes. Son altruistas, pero tienen una parte egocéntrica que necesita del reconocimiento de los demás estar en equilibrio.

En las relaciones sentimentales buscan buena compañía y les encanta disfrutar de los placeres. Su pareja ideal es aquella que no es sumisa.

Cuando alguien los obedece pierden el temperamento fácilmente.

Piscis – Ascendente Leo

Piscis con Ascendente Leo son personas con mucha empatía, son atractivas y seductoras. Poseen un gran poder de imaginación y buena intuición.

En lo profesional poseen un olfato increíble para los negocios, además su magnetismo personal los lleva a posiciones de responsabilidad y poder fácilmente.

En sus relaciones pueden ser un poco egoístas, pero también altruistas con las personas que aman. Sin embargo, con su pareja son atentos y generosos.

Son proclives a ser personas vanidosas y egocéntricas. Ellos buscan llamar la atención a toda costa y esto les puede causar conflictos.

Saturno en Piscis, uno de los eventos astrológicos más importantes.

El 7 de marzo del 2023 fue uno de los días más importantes en el calendario astrológico de ese año. Saturno, el severo maestro, y señor del karma, se enfrentó con Piscis, el soñador. Este tránsito de Saturno en Piscis, que durará hasta febrero del 2026, no ha sido una mezcla bien recibida.

Saturno es un planeta de responsabilidad y autoridad estricta, que nos disciplina y estructura mientras transita a través del zodíaco. Saturno quiere cerciorarse de cómo estamos alcanzando nuestros objetivos, y cuando este planeta se mueve por Piscis, el signo más espiritual, algunas propuestas importantes se dirigen hacia nosotros. Plutón y Saturno, cambiando tan al unísono, traerán un volcán energético gigantesco, y garantizado que será un período inolvidable. Esto puede resonar como una fórmula para la batalla, pero este combo energético, en realidad, puede ser eficaz y provechoso.

Saturno no está satisfecho en Piscis. Es difícil para él fundar estructuras y construir la realidad cuando todo es movedizo. Piscis es un signo dual, por eso puede expresarse de formas opuestas; puede ser lo mismo trascendental, como práctico. Existe la posibilidad de que Saturno en Piscis indique la construcción de formas encima o debajo del agua, o para dominar el *agua, como conductos, acueductos y puertos. Pero también puede revelar el derrumbe de estas estructuras debido a huracanes o fragilidad estructural.*

El arquetipo de Piscis es contradictorio con Saturno. Representa la utopía, la creatividad, espiritualidad y el esoterismo, así como los sueños, las ilusiones, las mentiras y el escapismo. Simboliza la aspiración de fluir como el mar, deshaciendo las fronteras y las restricciones.

El último tránsito de Saturno en Piscis fue de mayo del año 1993 a abril del 1996, esta etapa vio los resultados del colapso de la Unión Soviética en 1989 que causó secuelas en todo el mundo y aplastó la economía rusa. Rusia emprendió la primera guerra Chechena en el año 1994 que se extendió hasta 1996. El Juzgado Penal Internacional para la ex Yugoslavia fue establecido en La Haya en mayo del año 1993 para procesar los crímenes de guerra realizados durante las beligerancias yugoslavas a principios de los años 1990. Por otro lado, la guerra de Bosnia, entre croatas, bosnios y serbios se extendió con crueldades y expurgación étnica, y variadas ejecuciones. La guerra concluyó en el año 1995, y la mayoría de los comandantes serbobosnios fueron culpados de genocidio y crímenes contra la humanidad. En 1994 el genocidio de Ruanda empezó cuando las bandas hutus asesinaron a más de 700,

000 tutsis, y fueron violadas una cantidad incalculable de mujeres durante la masacre, que definitivamente terminó en julio. La crisis del desarme de Irak, después que término la primera Guerra del Golfo, estaba en su apogeo con mucho ruido y ninguna confianza entre los implicados. Una secta en Suiza denominada la "Orden del Templo Solar", realizó una cadena de crímenes y suicidios masivos, y aquí en los Estados Unidos, Timothy McVeigh asesinó a 168 personas en el atentado de la ciudad de Oklahoma. Durante ese tránsito de Saturno por Piscis, fue cuando O.J Simpson fue detenido por el asesinato de su exesposa y el novio, y liberado después de un extenso juicio que fue todo un espectáculo al estilo de Hollywood. En Londres, Fred West y su esposa Rose fueron encarcelados después de las extracciones en el patio de su casa de los cuerpos de múltiples víctimas de asesinato. Sudáfrica tuvo sus primeros escrutinios multirraciales, y Nelson Mandela fue elegido presidente, aboliendo más tarde la pena de muerte en ese país. Rusia y China firmaron un acuerdo para parar de provocarse recíprocamente con sus artefactos nucleares, y el Tratado de "No Proliferación Nuclear" fue amplificado interminablemente por 170 países. En Australia se pactó indemnizar a los indígenas que fueron desalojados durante los ensayos nucleares en los años 1950 y 1960.

Otros eventos durante el tránsito de Saturno en Piscis comprenden corrientes religiosas, movimientos ideológicos como el socialismo y el izquierdismo, la transmisión de enfermedades y contagios, las conductas destructivas inducidas por el pánico, un incremento en el uso de drogas y desarrollo de todo tipo de arte, así como los medios de transporte marítimos.

Saturno en Piscis, va a procurar que no podamos utilizar la espiritualidad o el miedo para esquivar determinados conflictos que debemos enfrentar. Podemos meditar, ir a pasar cien años en el Tíbet, y utilizar los mantras más poderosos del universo, pero en algún momento, también debemos actuar.

Durante los últimos años que Saturno ha transitado por Acuario, ha existido la necesidad de concentrarse en la individualidad y ser más genuinos, en lugar de tolerar la coacción de los que nos rodean. Aunque Acuario es un signo conocido por bailar a su propio ritmo, como Saturno se trata de limitaciones, nos ha empujado a sentarnos solos con nosotros mismos (recuerda las restricciones durante la pandemia), y mirar dónde podemos situarnos para crear límites saludables.

Todas esas lecciones nos prepararon para lo que se avecina con Saturno en Piscis. Comenzaremos a ser más sensatos sobre cómo añadir la espiritualidad en nuestra vida diaria, mientras conservamos un entendimiento de como estructurarnos. Muchas personas abandonarán o cuestionarán las religiones o dogmas.

Por supuesto que hay muchos que no saborearán este período, entre ellos están los guías religiosos y los que promueven las teorías conspirativas. Veremos conflictos entre individuos de religiones disímiles, y muchas tendencias a tratar de dominar lo que los demás opten por creer. Necesitamos aceptar que solo porque otros no estén de acuerdo con nuestras creencias, no significa que estén equivocados. Sencillamente indica que sus puntos de vista son diferentes, porque al final del día, Piscis defiende la inclusión. Algo que carecemos.

Como Piscis y Neptuno rigen los negocios del entretenimiento, grandes estudios y compañías discográficas cerrarán, y muchos artistas que han estado conectados a esos estudios decidirán crear el propio. Si eres un artista, te interesará utilizar tu trabajo de forma beneficiosa, en vez de dejar que las grandes compañías en la cúpula disfruten los dividendos.

Disminuirá el interés hacia los efectos especiales y una orientación mayor hacia las películas autónomas, y los temas que reflejen lo cotidiano. Apreciaremos la belleza a nuestro alrededor, y estaremos menos motivados por el glamour.

El karma muchas veces tendemos a verlo como algo maléfico, pero recoger lo que siembras no es malo, siempre y cuando te hayas portado bien. Trabajar con nuestro bagaje kármico y subconsciente, entender el pasado y estar listo para dejar ir, es decisivo para desenvolverse en este tránsito y salir de él con éxito. Si esquivas esto, Saturno te sancionará, pero si lo abrazas, llegarás a un lugar que está predestinado a algo grandioso.

La ubicación de Saturno en nuestra carta natal indica dónde estamos obligados a obtener control de la realidad y asumir una mayor responsabilidad. Piscis es el último signo del zodíaco, por lo que el movimiento de Saturno aquí también indica un final o un punto de finalización para un ciclo mucho mayor.

Piscis es un signo de agua que representa la luz, la oscuridad y los mundos invisibles. Es conocido por sus ideas abstractas, y creatividad. Piscis es mutable, lo que significa que es adaptable, y abierto a las energías del mundo que la rodea. Saturno es una energía muy sólida. Rige sobre la ley, las responsabilidades y las restricciones, y su energía a veces puede sentirse como una llamada de atención, devolviéndonos a la realidad y haciéndonos enfrentar las consecuencias de nuestras acciones.

La presencia de Saturno en Piscis podría sentirse un poco pesada debido a todo esto, ya que la energía pisciana normalmente acuosa, intuitiva y sensible se verá obligada a volverse un poco más reservada.

Para entenderlo mejor puedes pensarlo de esta forma: si Piscis es agua que fluye suavemente, la presencia de Saturno va a construir diques, y estas retenciones pueden dirigir el agua en una dirección productiva y beneficiosa, pero también puede sentirse más opresora o controladora. Sin embargo, hay una manera de crear un equilibrio entre estas dos energías, ya que las ideas creativas, intangibles y externas de la energía pisciana pueden obtener algunas raíces gracias a Saturno.

Saturno tiene una energía práctica, así que, si combinamos esto con la creatividad de Piscis, hay un equilibrio que se puede lograr para ayudarnos a tomar nuestras ideas creativas y darles vida o incluso convertirlas en un negocio.

Piscis también está conectado con la religión y la espiritualidad, por lo que con Saturno podría haber muchas preguntas en torno a la religión y la espiritualidad y cómo está conectado con las reglas que gobiernan la sociedad, la industria espiritual también puede recibir una llamada de atención bajo esta energía, o a nivel personal tus propias actitudes y creencias sobre tu conexión espiritual o religiosa cambiarán.

Realmente Saturno lo que quiere es que demos un paso adelante y asumamos la responsabilidad de nuestras vidas y que actuemos de acuerdo con nuestro auténtico yo. Saturno puede imponer límites y restricciones que nos hacen sentir atrapados o sofocados, pero esto es solo para que podamos tomarnos el tiempo para descubrir lo que realmente queremos y lo que realmente estamos dispuestos a defender.

A continuación, puedes leer una síntesis de lo que el tránsito de Saturno en Piscis traerá para cada signo zodiacal. Si deseas obtener más provecho de toda esta información, te recomiendo que leas el de tu Signo Ascendente, si lo conoces y luego mezcles las interpretaciones.

Otra forma de obtener más información acerca de este transito planetario tan poderoso es que pienses en los temas que se desarrollaron en tu vida la última vez que Saturno estuvo en Piscis, que fue de año 1994 al 1996, para que obtengas información adicional sobre lo que este ciclo te puede traer.

¿Como afectará al Signo Leo?

A medida que Saturno transita por Piscis, es posible que te encuentres volviéndote hacia adentro. Habrá una fuerte atracción para comprenderte a ti mismo en un nivel más profundo y desbloquear procesos de pensamiento ocultos o patrones subconscientes.

Saturno en Piscis también puede traer una profunda transformación de algún tipo en la que se te guía para moverte a través de un proceso de muerte y renacimiento.

La naturaleza está constantemente en un ciclo de regeneración, los árboles pierden sus hojas, entran en la fase de muerte y en primavera, brotan de nuevo, entrando en una fase de renacimiento.

También está la historia del Ave Fénix, que se levanta de las cenizas. Es posible que te encuentres tomando un viaje de muerte y renacimiento con Saturno en Piscis.

Es posible que tengas que despejar un ciclo o eliminar una creencia o un estilo de vida obsoleto, y renacerlo en algo nuevo. Renacer un área de tu vida siempre puede traer sus desafíos y con Saturno involucrado, seguramente habrá desafíos.

Saturno es como un maestro estricto que te empujará a ser tu mejor versión. Saturno nunca nos empuja demasiado o muy poco, siempre parece saber la cantidad justa para sacar nuestro máximo potencial. A medida que avanzas a través de este ciclo de renacimiento, alcanzarás un nuevo límite de tu potencial.

Desbloquearás nuevas habilidades, viajarás a lugares nunca vistos y, en última instancia, saldrás de todo esto conociéndote mejor y más íntimamente.

Saturno en Piscis se trata realmente de conocer al verdadero tú. Se trata de despojarte de las máscaras, la falsedad, las cosas que te mantienen atascado o limitado, y pelar las capas para revelar una versión más verdadera de ti mismo.

Saturno está estrechamente conectado con nuestro contrato del alma, es el contrato que hacemos antes de llegar a este reino terrenal. Nuestro contrato de alma describe todas las cosas que el alma está destinada a aprender y moverse durante su tiempo en la escuela de la tierra.

El trabajo de Saturno es asegurarse de que estamos a la altura de los inquilinos de nuestro contrato del alma. Él quiere asegurarse de que estamos en el buen camino y haciendo lo que se supone que debemos hacer, por eso cualquier cosa que nos distraiga de nuestro camino será eliminada y cualquier deuda kármica que deba pagarse deberá resolverse.

Saturno en Piscis también puede provocar problemas relacionados con tu sexualidad y tus relaciones íntimas. Es posible que necesites reconectarte contigo mismo y con lo que te trae placer.

Es posible que desees explorar tu lado sexual o sentirte más cómodo con tu cuerpo. Saturno también puede traer algunos límites y restricciones, por lo que, si bien en última instancia se te anima a conocerte mejor y desarrollar una relación más profunda e íntima contigo mismo, puedes sentir lo contrario al principio.

Puedes sentirte desconectado de ti mismo y, por lo tanto, desconectado de tus deseos y de tu centro de placer. Es posible que no estés seguro de lo que quieres de tus parejas íntimas, o puedes tener dificultades para comunicar lo que te hace sentir bien.

Saturno en Piscis te está ayudando a intimar, pero primero necesitas hacer esto contigo mismo antes de poder hacerlo con los demás.

Tómate el tiempo para conocerte a ti mismo y lo que deseas, conéctate con lo que te excita, y tal vez trabaja en tus centros de energía. Nuestros chacras inferiores, que incluyen tú chacra raíz y el chacra sacro, están ubicados debajo del ombligo y están conectados a nuestros sentimientos de seguridad y nuestro sentimiento de deseo creativo.

Es sólo cuando nos sentimos seguros en nuestros propios cuerpos que podemos activar nuestros centros de placer. Por lo tanto, encuentra maneras de sentirte seguro y arraigado en tu propio cuerpo, y será más fácil volver a un estado de placer o alegría.

Es posible que mientras Saturno recorre Piscis, necesites descansar, Saturno te guiará para que asumas la responsabilidad de tu cuerpo y tu salud mental, te animará a buscar ayuda si la necesitas.

Cada vez que eres guiado en un ciclo de renacimiento, también tiene que haber alguna regeneración involucrada. Debes darte el tiempo y el espacio para recargar tus baterías para pasar por este ciclo.

Al igual que los árboles permanecen inactivos en el invierno, porque están preservando su energía, esperando el momento adecuado cuando los brotes vuelvan a florecer. Si los árboles nunca descansaran, no tendrían la energía para formar esos nuevos brotes.

Necesitas darte las mismas oportunidades y recordar que todas las cosas sucederán a su debido tiempo.

Como eres un signo de fuego, puedes sentir el deseo de apresurarte, pero Saturno en Piscis te enseñará paciencia para que puedas tomarte tu tiempo y considerar realmente por qué estás haciendo las cosas que estás haciendo.

Para cuando Saturno termine de recorrer esta parte de los cielos cósmicos, te sentirás más conectado con lo que eres en un nivel íntimo. Te sentirás más alineado con lo que te trae placer y cómo los demás pueden servirte, especialmente en tus relaciones íntimas.

Vas a entender lo que necesitas para asegurarte de lo que ya no es para ti.

Saturno en Piscis es definitivamente un tránsito un poco desafiante para ti, y te encontrarás con la necesidad de cerrar la puerta a algo.

Pero recuerda, Saturno está ahí para acercarte al camino de tu alma y a un estado más profundo de armonía y comprensión con lo que quieres de tu vida. Si sientes algún desafío que surge bajo esta energía, vuelve a ti mismo. ¿Qué es lo que realmente deseas? ¿Qué te parece correcto? Puede que no tengas todas las respuestas, pero siempre que Saturno está involucrado, es una buena idea volver a la responsabilidad.

Saturno quiere que asumamos la responsabilidad de nosotros mismos y de nuestras vidas. Quiere que nos apropiemos de lo que estamos poniendo en el mundo y de lo que decimos que queremos. Quiere asegurarse de que nuestra conversación esté alineada con nuestras acciones y que nuestros pensamientos estén alineados con nuestra alma.

Bibliografía

Algunas informaciones fueron extraídas de los libros publicados por las autoras: Amor para todos los Corazones, Dinero para todos los Bolsillos y Horóscopo 2022 y 2024.

Artículos escritos en el Nuevo Herald por una de las escritoras.

Acerca de los Autoras

Además de sus conocimientos astrológicos, Alina A. Rubí tiene una educación profesional abundante; posee certificaciones en Sicología, Hipnosis, Reiki, Sanación Bioenergética con Cristales, Sanación Angelical, Interpretación de Sueños y es Instructora Espiritual. Rubi posee conocimientos de Gemología, los cuales usa para programar las piedras o minerales y convertirlos en poderosos Amuletos o Talismanes de protección.

Rubi posee un carácter práctico y orientado a los resultados, lo cual le ha permitido tener una visión especial e integradora de varios mundos, facilitándole las soluciones a problemas específicos. Alina escribe los Horóscopos Mensuales para la página de internet de la American Asociation of Astrologers, Ud. puede leerlos en el sitio www.astrologers.com. En este momento escribe semanalmente una columna en el diario El Nuevo Herald sobre temas espirituales, publicada todos los domingos en forma digital y los lunes en el impreso. También tiene un programa y el Horóscopo semanal en el canal de YouTube de este *periódico. Su Anuario Astrológico se publica todos los años en el periódico "Diario las Américas", bajo la columna Rubi Astrologa.*

Rubi ha escrito varios artículos sobre astrología para la publicación mensual "Today's Astrologer", ha impartido clases de Astrología, Tarot, Lectura de las manos, Sanación con Cristales, y Esoterismo. Tiene videos semanales sobre temas esotéricos en su canal de YouTube: Rubi Astrologa. Tuvo su propio programa de Astrología trasmitido diariamente a través de Flamingo T.V., ha sido entrevistada por varios programas de T.V. y radio, y todos los años se publica su "Anuario Astrológico" con el horóscopo signo por signo, y otros temas místicos interesantes.

Es la autora de los libros "Arroz y Frijoles para el Alma" Parte I, II, y III, una compilación de artículos esotéricos, publicada en los idiomas inglés, español, francés, italiano y portugués. "Dinero para Todos los Bolsillos", "Amor para todos los Corazones", "Salud para Todos los Cuerpos, Anuario Astrológico 2021, Horóscopo 2022, Rituales y Hechizos para el Éxito en el 2022, Hechizos y Secretos, Clases de Astrología, Rituales y Amuletos 2024 y Horóscopo Chino 2024 todos disponibles en cinco idiomas: inglés, italiano, francés, japonés y alemán.

Rubi habla inglés y español perfectamente, combina todos sus talentos y conocimientos en sus lecturas. Actualmente reside en Miami, Florida.

*Para más información pueden **visitar el website***
www.esoterismomagia.com

Alina A. Rubi es la hija de Alina Rubi. Actualmente estudia psicología en la Universidad Internacional de la Florida.

Desde niña se interesó en todos los temas metafísicos, esotéricos, y práctica la astrología, y Kabbalah desde los cuatro años. Posee conocimientos del Tarot, Reiki y Gemología. No solo es autora, sino editora juntamente con su hermana Angeline A. Rubi, de todos los libros publicados por ella y su mamá.

Para más información pueden contactarla por email:
rubiediciones29@gmail.com

Milton Keynes UK
Ingram Content Group UK Ltd.
UKHW051033221123
433051UK00018B/772